D0854546

Gedane zaken

Kopano Matlwa

Gedane zaken

Vertaald door Lidwien Biekmann

De vertaler heeft voor deze vertaling een werkbeurs gekregen van het Nederlands Letterenfonds

Oorspronkelijke titel *Spilt Milk*

Omslag Image Realize
Omslagbeeld Getty Images
Binnenwerk Steven Boland
Foto auteur Geraint Lewis
ISBN 978 90 895 3074 5 / NUR 302
www.ailantus.nl
www.clubvaneerlijkevinders.nl

‘Elk boek is een gebed.’
(auteur onbekend)

‘Ik riep: “Nee, Heer, mijn God! Ik kan het woord niet voeren, ik ben te jong.” Maar de Heer antwoordde: “Zeg niet: ‘Ik ben te jong.’ Richt je tot iedereen naar wie ik je zend en zeg alles wat ik je opdraag. Wees voor niemand bang, want ik zal je terzijde staan en je redden.”’
(Jeremia 1:6-8)

Het was toen de gordijnen bijna dichtgetrokken werden, toen de kinderen binnen werden geroepen na een lange dag spelen, toen het gele zetmeel van de rijst in de kleine pannen werd gespoeld en de saus van 4 naar 2 werd gedraaid, dat ze stilletjes de achterdeur uit glipten.

Het was toen de duisternis bijna inviel, toen de warme zon haar laatste woord gesproken had, toen vierkante zwarte schoenen uitrustten na een hele dag marcheren en het gedaan was met de drukte en het gehaast en er niet veel meer te doen viel, dat ze terugkeerden naar waar ze eerder geweest waren.

En ook al bewogen ze alleen hun vingers heen en weer met steeds groter verlangen;

en ook al zorgden ze ervoor dat hun lippen strak naar binnen gekruld waren toen ze diepe teugen van elkaars adem namen;

en ook al was het alleen haar borstbeen dat hij van haar mocht aanraken, en beslist niet haar borsten...

... voor de lange paters met hun zware schaduwen die hen verpletterden toen ze daar in het namiddaggras lagen, had het veel onheilspellender geleken, veel zondiger, veel verdorvener.

Toen hij voor het kerkelijk tribunaal stond, met al die ernstige, bleke, zuchtende ogen, die hoofdschuddende gouden brilletjes, die eeltige harten die afkeurend mompelden, toen keek hij even omhoog naar God met ogen die prikten van woede en verraad. Hoe had hij moeten weten dat die gevoelens onecht waren en dat die intimiteit verkeerd was terwijl God hem juist zo had aangemoedigd?

Maar dat was dat. Zijn koffer werd gepakt en al snel was hij op weg, naar heel ver, waar de lijnen recht en de cirkels rond waren.

En toen hij eenmaal op weg was, ver buiten gehoorsafstand, maakte hij het de dikke prop bittere schuld in zijn keel duidelijk dat als die van plan was daar te blijven zitten, hij nog wel iets in petto had. Zodra hij uit zicht was, zou hij een vies gezicht trekken, zijn keel schrapen en het eruit spugen, alles eruit, tot zijn keel rauw was en hij alleen nog maar kon kokhalzen. Schuld hoorde niet bij wat hij bereid was te voelen. En daar zou hij het laten liggen, die dikke prop bittere schuld, op de zandweg, om te worden verpletterd door grote vrachtwagenwielen, zoals het hoorde.

God had helemaal niets te maken met hun ongenade. Die dag lag God ook te rollen in het gras, te lachen met de zon en Zich te verbazen over de boze gezichten, maar dat werd jammer genoeg pas veel later ontdekt, toen er al te veel verloren was.

Na alle opwinding, na het feestgejuich, na de festiviteiten, na de zoete vreugdetranen, toen ze eindelijk uitgelachen waren, toen ze van pure blijdschap hadden gesnikt, hadden gegild van uitzinnigheid, toen ze hadden gesnotterd omdat het zo mooi was, toen ze kaarsen hadden aangestoken uit eerbied voor de tijd, toen ze op hun knieën de grond hadden gekust, toen ze alles en iedereen luidkeels van hun overwinning hadden laten horen, toen ze hadden gegierd om het meesterlijke succes, hun vuist in de lucht hadden gestoken en het hadden uitgeschreeuwd van triomf en superioriteit, toen ze de oude straatnaambordjes eraf hadden gehaald, toen ze in optocht door de straten waren getrokken en de liederen hadden gezongen die alleen gezongen konden worden door hen die eerder hadden geleden, toen ze voor de televisie hadden gestaan en tussen de twee zenders heen en weer schakelden in de hoop het nog eens te zien, toen ze elkaars handen hadden vastgepakt en in de lucht hadden gestoken, toen ze in de rij hadden gestaan om hun namen terug te veranderen van namen die gemakkelijk uit de neus rolden in namen die glad op de tong lagen, toen ze volslagen onbekenden hadden omhelsd.

Toen ze alles uit hun kamer hadden ingepakt en meerdere kamers gingen bewonen, toen ze een Duitse auto hadden gekocht, toen ze de kasten hadden gevuld, toen ze in een andere buurt met andere buren waren gaan wonen, toen ze een nieuwe garderobe hadden aangeschaft en hun kooktoestelletje hadden ingeruild voor een magnetron, toen ze lederen portemonnees hadden gevuld met glanzende gouden en zilveren creditcards, toen ze BlackBerry's, mp3's, laptops en handsfree telefoons hadden, na de inauguraties en de herdenkingen, na het oprichten van nieuwe standbeelden waar eerst de oude hadden gestaan, toen ze handen hadden geschud en cadeaus hadden uitgewisseld, toen ze om de tafel hadden gezeten en nieuwe wetten hadden opgesteld, nieuwe emblemen, logo's en penningen hadden ontworpen, toen geen wet plaatsmaakte voor een wetsontwerp en daarna voor een wet die op het journaal werd aangekondigd, toen de rugbyteams aan hun kleurlingenquota voldeden en bedrijven kleurrijke CEO's kregen, toen dat allemaal gedaan was, toen kwam zij.

Uit het niets. Letterlijk uit het niets. Ze hoorde bij geen volk, tenminste niet voor zover wij wisten. Geen plaats, geen mens, geen vriend, geen buur, geen kleuterschooljuf kon zeggen wie ze was. En in een tijd waarin je in dit land alleen maar ergens kon komen als ze je kenden, was het heel riskant wat zij deed, uit het niets opduiken, zonder strijd, zonder gevangenis, zonder partij, zonder wat dan ook. Maar misschien was het daarom dat ze opkeken, want geen rationeel mens zou er ooit van dromen zoiets te doen, en het zijn altijd de irrationelen die wij grappig vinden.

Ze was gewoon op een ochtend wakker geworden en had zich gerealiseerd dat wij al tientallen jaren praatten. Praatten en discussieerden, plannen maakten en overlegden, theoretiseerden en filosofeerden, klaagden en zeurden, schreeuwden en tierden, en dat het nu genoeg was geweest. Er werd niet meer gepraat, niet meer gediscussieerd, niet meer overlegd, niet meer getheoretiseerd, niet meer gefilosofeerd, niet meer geklaagd, niet meer gezeurd, niet meer geschreeuwd, niet meer getierd, geen woorden meer, niets. Er was genoeg gesproken. Nu was het tijd om aan het werk te gaan.

Ze wees erop dat de tijden veranderd waren. Het was niet meer de tijd waarin kleine ronde mannen en vrouwen in flitsende pakken met snelle babbels en magische trucs dit en dat zeiden, dit en dat beloofden, dit en dat kochten, werden beschuldigd van dit en dat, werden aangeklaagd voor dit en dat, werden gepakt voor dit en dat; ronde mannen en vrouwen in flitsende pakken die ons steeds in de steek lieten. Dat was allemaal zo saai, zei ze, zo afgezaagd. En hadden we er niet allemaal meer dan genoeg van om ze te verdedigen?

Ze wees erop dat na de verrukking, na de hysterie, na de scones en het gemberbier en de custard en de perziken uit blik, na het delirium en het drama, na de hitte en de intensiteit, na het vlees en de alcohol en de chips met *salt and vinegar*, na de opwinding die de lucht doorboorde en de verwachtingen die de hemel verscheurden, dat daarna alles ineenstortte. Wel langzaam ineenstortte, maar toch ineenstortte.

Er werd bedrog gevonden in de zakken van helden, bederf in de rugzakken van de strijders, verraad in de opschrijfboekjes van de leiders, verdorvenheid in de schoenen van kampioenen, hebzucht in de kasten van de gewone man, verderf aan de sleutelhangers van leidersfiguren en ziekte stilletjes weggestopt in de beha's van onze legendes. En zelfs het Bleke Volk besefte dat het misschien nooit de voor-het-geval-dat-koffer nodig had die het onder de trap verborgen had, of in de kofferbak, of onder het bed; de auto met extra benzine, extra olie, extra banden; het appartement dat ze aanhielden in Australië, Londen, Nieuw-Zeeland. Want wat er gebeurde was dat het Donkere Volk zijn eigen onderdrukker werd.

'Het gevaarlijke van het slachtofferschap,' zei ze, 'is dat je nooit gedwongen wordt om jezelf een spiegel voor te houden. Niemand vraagt je ooit om jóúw handelingen, jóúw motieven en jóúw bedoelingen te evalueren, dus je gaat gewoon door zonder ooit iets te onderzoeken en zonder vragen.'

En na uTata, nou, toen kwamen er geen grote namen meer, niet in morele zin, geen edelmoedigheid. Er was zeker wel geld, er waren goudmijntjes, maar geen T-shirts, geen grappige dansjes, geen brede grijns, geen hese stem.

Mohumagadi, want zo moest ze worden genoemd, riep daarom op tot het oprichten van een school. *Sekolo sa Ditlhora*. Een excellente school. Een school waar wiskunde niet slechts een methode was om sterftecijfers bij te houden, om schulden te berekenen en nullen toe te voegen aan een mislukte economie, maar een middel om iets toe te voegen aan het niets, om veranderingen te bewerkstelligen, om leegte te vullen, het denken te organiseren en resultaten te vergroten. Een school waar geschiedenis geen vak was over postonafhankelijkheidsrancune, oorlog en haat, maar een getuigenis van alles wat in de voorbije eeuwen was overwonnen. Een herinnering aan waar we vandaan komen en waar we niet meer willen zijn. Het zou een school worden waar aardrijkskunde niet alleen een manier was om de herkomst van hulp op de wereldkaart aan te duiden, maar een poging om de aarde zelf te begrijpen, een manier om plaats en betekenis en dus perspectief te vinden. Dit zou een school worden waar handvaardigheid niet alleen maar een vak was waar kralen werden geregen die door *bo* Koko langs de weg werden verkocht, maar een vak over identiteit, een manier om in verbinding te staan met onze voorouders en ons nageslacht, een concentratie op de kern.

Ze zei dat het een school zou worden waar de omstandigheden niet tot een tweespalt zouden leiden en waar armoede buiten de deur werd gehouden. Een school waar de ouderen naar de jongeren luisterden en de jongeren het woord en het voortouw konden nemen. Een school met trots. Met waarheid. Ze zei dat de bedelnap er werd omgekeerd en gebruikt als opstap. Waar *umntu omnyama* iets groots kon zijn. Want hoe konden dingen veranderen als we niet bij het begin begonnen? En als we er niet in geloofden? Dan konden we wel oprotten.

En zo werd Sekolo sa Ditlhora geopend, en wat was dat een machtig gebouw! De poort rees hoog op en was gedecoreerd met ebbenhout en bladgoud.

Daarachter was ruimte, een grote open ruimte, ruimte waarin je kon ademen, kon nadenken, kon scheppen. Er waren tuinen, lommerrijke tuinen, opvallende bijzondere tuinen, met fruitbomen die alleen werden onderbroken door lange paden met licht. En als je ver genoeg doorliep, waren er kleine stroompjes waar je bij kon staan en waar de beelden van Cleopatra, Makeda en Tiye naar de lucht keken. Oude geschriften werden in herinnering gebracht en de namen van grote keizers; koningen en koninginnen die uit de geschiedenisboekjes weggelaten waren, werden op de deuren van de klaslokalen aangebracht. Zo had je de Shamba-leeszaal en de Khama-studeerkamer op dezelfde verdieping, en waren in Nehanda en Nandi de klassen 1A en 1B gevestigd.

De docenten werden zorgvuldig geselecteerd; men koos alleen degenen van wie men verwachtte dat ze jonge mensen met een geest die nog in ontwikkeling was, konden inspireren, mensen die het vergaren van kennis konden aanmoedigen en een bepaalde ambitie konden kweken. En wat was het een opluchting voor de moeders dat ze niet meer extra vroeg moesten opstaan om harde strohoedjes op weerbarstige haren en onwillige hoofden te drukken. En tante hoefde niet meer voorzichtig te strijken rond het embleem met de Latijnse spreuk die niemand in huis begreep, maar waarvoor iedereen een heilig ontzag had. En toen bekend werd dat er een alternatief was voor de scholen waar bruine jongens en meisjes alleen maar diploma's kregen voor Xhosa en Zoeloe, tja, toen was de keus snel gemaakt.

En hoewel Mohumagadi een gekwelde, boze vrouw leek, die alleen werd begrepen door de mensen die al jaren met haar samenwerkten, en hoewel ze erg haar best leek te moeten doen om politiek correct te zijn, was iedereen haar dankbaar dat ze zo gedreven was om de school tot een succes te maken, en iedereen, zelfs de blanke kranten, waren het erover eens dat dat een goede zaak was. In elk geval was ze niet Mugabe-boos, dat in elk geval niet.

En als de poort elke ochtend werd gesloten, was het voor iedereen die buiten stond overduidelijk dat die mensen er genoeg van hadden om het voorwerp van nieuwsgierigheid te zijn. Die kinderen waren aan het werk. Iedereen was het erover eens dat dit inderdaad een excellente school was.

Pas enkele jaren na de opening ontstond er een vervelende situatie die werd beschreven in het rapport dat zijn weg vond naar het bureau van Mohumagadi. Het rapport was geschreven door meneer Tshivhase, de leraar volksgezondheid en epidemiologie, die een excursie had begeleid naar de inaugurele rede van Nkosi Johnson. Toen hij op de terugweg in de bus de koppen telde, had hij op de achterbank vier vierdeklassers aangetroffen met ontbloot onderlichaam, de onderbroek op de enkels en de broek van het schooluniform op de knieën. Ze hadden geen redelijke verklaring voor hun gedrag, behalve dan dat ze elkaar wilden bekijken.

Het verhaal vond zijn weg naar de weekendkranten, waarin werd gemeld dat de kinderen van Sihle Dladla (de CEO van Maatla Power House), Ntombovuyo Pooi (de auteur van *Sexual Consciousness*), Peter Graham (van de Alliance of the People) en diplomaat Tshilitsi Mntambo 'achter in een bus werden aangetroffen alwaar ze waren betrokken bij een orgie'. Meneer Mahlangu, verantwoordelijk voor de pr en de contacten met de media, suggereerde in een reactie hierop dat de kinderen (en de bezoedelde reputatie van de school) misschien gebaat waren bij enige religieuze invloed.

Maar wie moest daarvoor worden ingeschakeld, waar moest zo iemand worden gezocht? Mohumagadi interesseerde zich voor veel dingen, maar religie hoorde daar bepaald niet bij. Zij vond dat er voor God en Zijn Bijbel, waarin onderworpenheid verdacht hoog in het vaandel stond, geen plaats was op deze school van verandering. 'God was er ook niet toen wij geketend werden, toen we werden verkracht, toen we werden bedrogen en geslagen in de vele eeuwen die achter ons liggen, dus waarom wil God zich opeens wel met ons bemoeien nu we aan de winnende hand zijn?' Nee, voor Mohumagadi was God alleen voor trouwerijen en verhaaltjes voor het slapengaan, niet voor werk.

Het hele idee van religie ergerde haar: de rituelen, de kaarsen die de vloerbedekking in de lokalen zouden beschadigen, het pompeuze, vrome gedoe in de kerkbanken en de overijverige opschepperij van kinderen van veertien die beweerden dat ze tijdens een missie in hun eentje een dorpshoofd en zijn volk tot het christendom hadden bekeerd. Van dat soort dingen had Mohumagadi een bittere nasmaak. Desalniettemin stemde ze in met het idee van meneer Mahlangu dat werd gesteund door meneer Ntsoko (lid van het schoolbestuur), ook al brak het zweet haar uit.

Ze zou iemand van de kerk toelaten in haar school, maar ze was vastbesloten om de touwtjes strak in handen te houden en het contact met de leerlingen tot een minimum te beperken. Er was veel te veel in deze school geïnvesteerd en er waren te veel mensen die hun hoop erop gevestigd hadden. De kerk vormde een bedreiging voor wat zij tot stand had gebracht en ze wist dat mensen van de kerk heel goed waren in wat ze deden: ze palmden al tientallen jaren hele landen in, ze zaaiden tweedracht in gezinnen, ze stalen zoons die de moederschoot nog maar nauwelijks verlaten hadden, haalden dochters over om vreemde kleren aan te trekken en drongen erop aan dat hun familie zich bekeerde of verdween. De kerk gaf haar een vreselijk naar gevoel.

Dan was er natuurlijk de rassenkwestie. Alle priesters die Mohumagadi ooit had gekend waren licht van kleur en preekten een godsdienst die aangetast was door Europese invloeden. Zou het niet nog erger zijn als zo'n priester ook nog eens van Europese afkomst was? Ze vertrouwde die religieuze types niet die beweerden te geloven in het land en het volk en de vooruitgang, maar daarna ontsnapten naar een toevluchtsoord in het buitenland en met een beschuldigende vinger wezen naar het kleine stukje Afrika waar de mensen weerstand boden tegen de kracht van de geest.

Dus toen Mohumagadi in vertrouwen te horen kreeg van meneer Zungu, die inheemse religies doceerde, dat de bisschop wanhopig op zoek was naar een plaats buiten de kerk waar een priester kon worden aangesteld die 'had gezondigd en ten prooi was gevallen aan vleselijke lusten', was Mohumagadi verheugd. Een verbannen blanke priester, perfecter kon bijna niet! Geen hooghartige heiligheid, geen deftige toga, geen neerbuigend knikje, maar gewoon een eenvoudige man die door zijn eigen zonde met twee benen op de grond stond.

'Niemand,' verklaarde Mohumagadi in de bestuursvergadering, 'kan een beter voorbeeld voor onze kinderen zijn.'

Hij arriveerde op een maandagochtend. Hij had zich door zijn huisbaas bij de school laten afzetten, want hij wist niet of er wel een parkeerplaats voor hem was en hij wilde niet aanmatigend lijken. Hij had geen brief of telefoonnummer gekregen, alleen de boodschap dat hij zich om 7:30 uur moest melden op Sekolo sa Ditlhora, Ray Street 6 in Grey Lourie Gardens (vlak bij Vrachtwagens voor Afrika). Toen de bewakers bij de poort vroegen wat hij kwam doen, wist hij niet goed wat hij moest zeggen. Hij was geen bezoeker, want dat suggereerde dat hij bij iemand op bezoek ging en dat hij al snel weer zou vertrekken, maar hij wist niet precies hoe lang hij zou blijven. Wat moest hij hier eigenlijk gaan doen? De bisschop had gezegd dat hij toe was aan reflectie en rust.

'Ik kom hier uitrusten,' zei hij tegen de bewakers.

'Uitrusten?' vroeg de een.

'*Uthini lomntu*?' zei de ander, die hem duidelijk had verstaan en beledigd leek.

'Uw identiteitskaart graag, meneer,' zei de derde bewaker, die het van zijn collega overnam.

'Ik ben bang dat ik geen identiteitskaart heb, meneer.'

'Nou, dan zijn wij bang dat u niet naar binnen mag, meneer.'

En zo kwam het dat hij buiten de poort op de stoep ging zitten wachten tot er iemand kwam die misschien iets kon doen; hij was daar niet om een baantje te zoeken, zoals later veel ouders beweerden die de sjofele oude blanke man op de stoep van de school hadden zien zitten toen ze hun kinderen kwamen afzetten.

Mohumagadi had niet gemerkt dat de priester de school was binnen gekomen totdat ze aan de kinderen en enkele docenten hoorde dat er iets gebeurde.

'Wat vreemd,' fluisterden ze.

'Een blanke huid,' mompelden er een paar.

'Moet je zien hoe bleek hij is,' merkten sommigen op.

Mohumagadi fronste haar wenkbrauwen toen ze zag dat de man onopvallend het podium probeerde te beklimmen waar zij en de rest van de staf zat. Ze keek op haar horloge. Hij was veel te laat. Ze waren al halverwege de dagopening en hij was er nu pas. Zijn gezicht kwam haar enigszins bekend voor, maar door alle opwinding in de aula kon ze dat niet rustig bekijken. Het was een enorm spektakel. Sommige kinderen achterin waren op hun stoel gaan staan om alles beter te kunnen zien, en meneer Ngwenya moest streng optreden om ze weer te doen zitten. Er kwamen niet vaak blanken op deze school: niet om schoon te maken, iets te repareren of een lezing te houden, laat staan om les te geven. En al helemaal niet zulke slecht geklede blanken.

Ze waren bezig met de mededelingen. 'Voor de leerlingen van klas vijf tot en met zeven hangt er een artikel op het bovenbouwprikbord van een zekere Kevin Myers, met als titel: "Afrika geeft niemand iets behalve aids". Reacties graag naar meneer Kgwadla, die ze zal doorsturen naar de auteur.'

Maar niemand luisterde. 'Die man, moet je zien hoe wit hij is.'

'Het symposium over Lessen uit Zimbabwe is uitgesteld tot nader order in verband met de recente arrestatie van een van de sprekers.'

Maar de kinderen konden niet opletten. 'Zijn huid is helemaal roze.'

'De zesdeklassers die naar Geneva gaan voor de groene week moeten zich na de dagopening verzamelen, dan krijgen ze hun leespakket.'

'En dat haar, dat is gewoon kleurloos!'

Toen de spreker plotseling zweeg, geïrriteerd door de mompelende en wijzende kinderen, keek de man op. Hij had niet gemerkt dat al die kinderen hun grote ogen niet van hem af konden houden, ook al probeerden ze dat wel. En pas toen kon Mohumagadi zijn gezicht goed bekijken. Het was William Thomas, Bill Thomas, die nu natuurlijk pater Bill Thomas werd genoemd. Meteen toen ze dat zag, kromp Mohumagadi ineen. Ze hoorde alle sloten en dichte deuren in haar binnenste opengaan waardoor de oude duivels die ze eindelijk onschadelijk meende te hebben gemaakt haar opnieuw konden komen opeisen. Voordat ze kon nadenken of een uitweg verzinnen, hem onder vier ogen kon vertellen dat er een stomme vergissing was gemaakt en hij niet meer nodig was, werd er haastig een briefje doorgegeven op het podium waarin stond dat ze de man moest introduceren zodat de school daarna verder kon gaan met de dagopening.

Pater Bill was zich niet bewust van de consternatie die hij veroorzaakte en zakte weg in een donker gat in zijn geheugen. Die stem. Die stem kende hij. Hij hoopte dat hij zich vergiste, maar hij wist zeker van niet. Zelfs na vijftien jaar zou hij die stem uit duizenden herkennen. Zij was het, daar was hij van overtuigd. Maar voordat hij erover na kon denken, ging iedereen staan om het schoollied te zingen.

Ri thuphiwa zwinzhi
Fhedzi ri si pwashekanyiwe
Ra tovholwa, fhedzi ri si shae Moya
Ra tsimbeledzelwa fhasi, hone ri shi lovhe.

Onze school is excellent
Al is de tijd heel turbulent
Angst voor tegenslag onbekend
Op weg naar het succes.
Sekolo sa Ditlhora, Sekolo sa Ditlhora,
Sekolo sa Ditlhora
Op weg naar het succes!

Re dikilwe thoko tsohle
Mme ga re pitlaganywe
Re a phoraphora
Mme ga re gakanege
Re a tlaiswa
Mee ga ra lahlega
Re digelwa fase
Mme ga re senyege.

Kind van een and're voorzienigheid
Ons hart vol waarachtigheid

Overtuigd van onze vaardigheid
Op weg naar het succes.
Sekolo sa Ditlhora, Sekolo sa Ditlhora,
Sekolo sa Ditlhora
Op weg naar het succes!

Siyabandezelwa ngeenxa zonke
Singaxineki
Siyathingaza, singancami
Sitshutshiswa asiyekeleli
Sikhahlelwa phantsi
Asitshatyalaliswa.

De wereld wacht op ons met smart
Hier zijn wij dan met heel ons hart
Om het kruis te dragen niet benard
Op weg naar het succes.
Sekolo sa Ditlhora, Sekolo sa Ditlhora,
Sekolo sa Ditlhora
Op weg naar het succes!

Mohumagadi liep haastig terug naar haar kantoor in de hoop dat ze onderweg geen leraren tegen zou komen die haar vast en zeker wilden vragen naar de nieuweling op school. Ze hadden voorafgaand aan zijn komst meerdere keren vergaderd, en toch maakte iedereen zich nog steeds zorgen over de gevolgen van zijn aanwezigheid. Maar ze kon nu niet praten, ze wilde zich terugtrekken in haar heiligdom. De hakken van haar zwart met rode lakschoenen tikten door de gang. Ze nam de meest afgelegen route die ze kende, achter de Makeba-muziekkamer langs, snel via de trap die de Victoriawatervallen werd genoemd en dan langs het Timboektoe-geschiedeniscentrum. Ze dacht niet dat ze zich goed zou kunnen houden als ze een van haar collega's onder ogen moest komen en ze wilde niet dat die zagen dat ze zo erg van streek was. De Kilimanjaro-klimmuur, de Taharqa-legokamer, de Tenkamenin-rechtszaal, toen alleen nog langs de '1994 in Beeld' en om de enorme glazen prijzenkast en dan was ze op haar kantoor. Ze moest nadenken.

Hoe had ze zo slordig kunnen zijn? Ze had de bisschop om een naam moeten vragen, maar daar had ze niet aan gedacht, dat had haar niets kunnen schelen. En nu dit. Maar wat was de kans geweest? Hoe groot was de kans dat ze uitgerekend hem zouden sturen nu zij na vijftien jaar een priester zocht voor haar school? Ze had jarenlang geprobeerd om niet meer aan hem te denken. En dit zou daar niets aan veranderen, hield ze zichzelf voor. Het was lang geleden en ze waren inmiddels andere mensen geworden. Het zou geen enkel probleem zijn, daar zou ze wel voor zorgen. Ze zou gewoon doen alsof ze niet wist wie hij was; daarvoor hoefde ze niet eens de schijn op te houden, want vijftien jaar was een lange tijd.

Bij haar kamer stond een hele menigte op haar te wachten. De moed zonk haar in de schoenen. Aan de manier waarop ze erbij stonden, opgewonden, met geanimeerde gezichten en gebaren, zag ze dat die priester waarschijnlijk al in haar kamer zat. Dr. Liyema, de leraar muziekgeschiedenis, was er zoals gewoonlijk ook bij. Hij hoefde pas na de lunch les te geven, maar als er iets spannends op school gebeurde stond hij altijd vooraan. De drie bewakers waren er ook, klaar om verslag uit te brengen over het incident van die ochtend met de blanke man die de spot met hen gedreven had, die ze de toegang hadden geweigerd, en die vervolgens achter hun rug om toch de school binnen geslopen was. Op het bankje naast haar deur zaten de vier kinderen aan wie ze – herinnerde ze zich opeens – vorige week had gevraagd direct na de dagopening van maandag naar haar kantoor te komen om te horen welke straf ze zouden krijgen. Ze wist dat ze vaak openlijk bekritiseerd werd omdat ze haar staf niet betrok bij de besluitvorming, maar dat had ze deze keer wel gedaan. Deze keer had ze hun de mogelijkheid gegeven om in gezamenlijk overleg te beslissen hoe de kinderen gestraft moesten worden, en dit waren de gevolgen: absolute chaos. Ze zuchtte.

Had ze een inschattingsfout gemaakt door deze man binnen te halen? Ze maakte niet vaak fouten. Ze had dagenlang nagedacht voor ze haar goedkeuring gaf om de brief te versturen. Als het een fout zou blijken te zijn, dan moest ze daar maar mee zien te leven.

'*Molweni*,' begroette ze hen met haar breedste glimlach.

'Molweni, Mohumagadi,' antwoordden ze allemaal.

'*Ninjani namhlanje*?'

'*Siphilile*, Mohumagadi.'

'Dat is prachtig om te horen. Het is een mooie dag, vandaag, niet?'

'Ja, Mohumagadi, een mooie dag om les te geven en te leren.'

'Nou, als er verder niets is, zie ik jullie allemaal bij de thee.' Ze gaf ze geen kans om iets terug te zeggen en deed de deur achter zich dicht.

Pater Bill zat in een van de mahoniehouten leunstoelen voor het mahoniehouten bureau met twee ladeblokken handenwringend te piekeren. Hij was binnengelaten in dit kantoor door ene miss L., die hem met een klembord en een glimlach bij de uitgang van de aula had opgewacht. Ze was zeer vriendelijk en had onderweg met hem geconverseerd en beleefd gelachen. Ze had tegen hem gezegd dat Mohumagadi zo zou komen om hem te informeren over de komende weken. Ze vroeg wat hij wilde drinken. Die vraag had hem met stomheid geslagen. Hij was eraan gewend dat hij van de theedames van de kerk maar twee keuzemogelijkheden kreeg: 'Thee of koffie, pater?' 'Wat sap of water, pater?' Hij had nog nooit de gelegenheid gehad zijn keel te smeren met iets wat hij zelf had bedacht.

Ze herhaalde de vraag toen ze de verwarring op zijn gezicht zag.

'Wat wilt u graag drinken, meneer? We hebben alles, ook alcohol, als u dat wenst.'

'Nee,' zei hij snel toen het tot hem doordrong dat zij waarschijnlijk dacht dat zijn aarzeling werd veroorzaakt doordat hij zo vroeg op de dag niet om iets alcoholisch durfde te vragen. Hij vroeg zich af wat de mensen op deze school over hem te horen hadden gekregen. 'Nee, nee. Thee graag. Ik drink nooit alcohol,' loog hij, waarbij hij de fout maakte te veel nadruk te gebruiken. Hij had niet hoeven liegen. Hij hoefde zich niet opgelaten of beschaamd te voelen. Priesters mochten best drinken, en zoveel dronk hij trouwens helemaal niet. Maar ja, de omstandigheden. De omstandigheden maakten alles heel gecompliceerd.

'Wat voor thee wilt u, meneer?' Ze was echt heel aardig, heel professioneel. Dat waardeerde hij.

'Dat maakt niet uit, thee is thee,' antwoordde hij. Hij grinnikte, voor het eerst sinds hij hier was.

'Zeker, thee is thee.' Ze glimlachte opnieuw met dezelfde lach.

Maar de ene thee was beslist de andere niet. Het kopje dat ze hem had gebracht stond nog steeds op de tafel; er dreven stukjes in van iets wat naar gember smaakte. Hij had geprobeerd het op te drinken, want hij wilde niet onbeleefd zijn, maar hij moest bijna kokhalzen van dit roze vocht met sliertjes kaneel en zompige klontjes.

'Mohumagadi begint de dag nooit zonder deze thee,' had miss L. joviaal gezegd terwijl ze het kopje op de kersenhouten koffietafel zette met een schaaltje al even vreemde groene koekjes ernaast.

De thee smaakte net als dat spul dat hij de avond voor zijn darmonderzoek van de dokter had moeten opdrinken. Met wat suiker erin zou het misschien wel weg te krijgen zijn; hij wilde beslist niet onbeleefd zijn, vooral niet omdat hij zelf om thee had gevraagd. Maar er stond geen suiker op tafel. Zijn gedachten dwaalden af, hij probeerde te bedenken wat hij zou doen of zeggen als zij het inderdaad was, en die smerige thee was hij al snel vergeten. Toen Mohumagadi binnenkwam, en de deur min of meer achter zich dichtsmeet, had hij het nog steeds niet opgedronken.

'Ik zie dat u de thee niet lekker vindt, pater Bill,' waren de eerste woorden die ze tegen hem zei.

Ze was het echt. Hij had gehoopt van niet, maar ze was het wel. Wat nu? Wat moest hij zeggen? Waar moest hij beginnen, na vijftien jaar?

'Ik hoop dat u het gemakkelijk hebt kunnen vinden? Ik zou u graag zelf willen rondleiden, maar helaas ben ik de hele ochtend druk met een aantal afspraken, dus ik zal een van de leerlingen vragen om u een kleine rondleiding te geven.'

Misschien vergiste hij zich. Ze keek hem even aan terwijl ze bezig was achter haar bureau. Ze haalde schriften tevoorschijn, zocht een pen, zette haar laptop aan en deed haar tas open. Maar ze gaf geen blijk van herkenning.

'Ik begrijp dat u de komende zes weken bij ons zult zijn, pater Bill.'

Was dat een vraag? Hij wist het niet zeker. Ze wachtte niet op een reactie, maar ging door.

'Zoals in gesprekken met de bisschop is afgesproken, zult u elke dag leidinggeven aan de nablijfklas van drie tot vijf uur 's middags. Er zal van de kinderen gevraagd worden een aantal teksten te lezen van verschillende auteurs over zelfdiscipline, persoonlijke beheersing, gepast gedrag in openbare gelegenheden, enzovoort enzovoort; vervolgens zullen ze op basis van het geleerde een aantal oefeningen maken die ze aan het eind van die zes weken moeten inleveren.' Ze was het, hij wist het bijna zeker.

'Er wordt niet van u verwacht dat u ze zelf lesgeeft, we hebben zelfs liever dat u dat niet doet.'

Herinnerde ze zich hem niet? Was hij zo erg veranderd? Haar stem klonk nog precies hetzelfde, ouder, harder, maar het was toch haar stem.

'We hebben een strak georganiseerd lesprogramma dat tot in detail is gepland, dus als we een nieuw staflid krijgen zorgen we er altijd secuur voor dat die precies weet wat er van hem of haar wordt verwacht.' Ze zweeg even en keek hem aan, recht in zijn ogen. Ze was het, maar ze gaf nog steeds geen blijk van herkenning. 'Ik hoop dat dat ook voor u geldt, pater Bill? Dat u weet wat er van u wordt verwacht?'

'Jawel, mevrouw, ik begrijp het, dank u.' Nee, ze kende hem niet meer. 'Mijn dank dat u me hier op uw school hebt aangenomen,' ging hij verder. Misschien moest hij haar helpen. 'Ik voel me bevoorrecht. U bent eh... ongetwijfeld op de hoogte van de omstandigheden waaronder ik hier ben gekomen en...' maar ze liet hem niet uitpraten.

'Ja, dank u, pater, en we zijn verheugd dat u bij ons bent. Welkom op Sekolo sa Ditlhora. Dit is een geweldige school. Ik ben ervan overtuigd dat u veel van uw verblijf zult meenemen.' Ze keek opgelucht toen ze werd onderbroken door de telefoon. Het was de secretaresse, de lieve miss L. die die vieze thee had gebracht. Ze herinnerde Mohumagadi eraan dat de vier leerlingen die ze bij zich had laten komen nog steeds op de gang zaten te wachten en ze vroeg of ze hun kon laten weten wanneer ze naar binnen mochten.

'Stuur de eerste maar vast, *Sisi*.'

Mohumagadi realiseerde zich dat ze een beetje overdreven had gereageerd. De man herinnerde zich haar niet en misschien vergiste zij zich wel, misschien was hij het helemaal niet. Ze keek naar hem terwijl hij daar tegenover haar zat, en zorgvuldig alles wat ze zei opschreef, wat er van hem werd verwacht, wat de school niet zou tolereren. Ze observeerde hem een paar keer stiekem onder het praten, zijn huid, de sproeten op zijn neus, de korstjes in de rimpels rond zijn ogen, zijn gebarsten lippen, een gele blaar in zijn mondhoek. Waarom doen blanken niets tegen het uitdrogen van hun huid? Hij was net een kind. Een kleine jongen in het lichaam van een grote man, in zijn geheel opgeslokt, erin verloren. Zoals hij zijn pen vasthield, zo onhandig, met de vingers er zo raar omheen. Hij verveelde haar. Alles wat hij vertegenwoordigde, verveelde haar. Verrassend genoeg voelde ze geen boosheid, geen haat, zelfs geen irritatie. Alleen maar volkomen onverschilligheid. Ze had totaal overspannen gereageerd. Deze man was een lachertje.

Een zelfbewuste klop op de deur schudde haar wakker uit haar overpeinzingen en herinnerde haar eraan waarom de pater eigenlijk in haar kantoor was, in haar school, waarom hij terug was in haar wereld. Ze moest zich concentreren op wat ze tot nu toe zo goed had gedaan: de school leiden.

'Binnen.'

Het was Ndudumo Mazibuko, dochter van Ntombovuyo Pooi. 'Tien jaar en seksueel bewust,' zei Ndudumo graag over zichzelf. Ze liep met opgeheven hoofd het kantoor binnen, met een dikke laag lipgloss op haar lippen en doorzichtige nagellak die haar vingertoppen deed glanzen. De gouden ceintuur van het zwarte schooluniform hing aan de achterkant van haar tuniek los op haar billen. Mohumagadi beet op haar onderlip en glimlachte alleen maar.

'*Molo*, Ndudumo. Ga zitten.'

In haar eerste jaren hier op school zou Mohumagadi tegen haar gezegd hebben dat ze direct haar kantoor moest verlaten en pas mocht terugkomen als ze er behoorlijk uitzag, maar ze had in de loop der tijd geleerd dat sommige ruzies gewoon niet de moeite waard waren. Kinderen verzonnen altijd wel iets om tegen de regels in te gaan en ze had geen tijd om steeds nieuwe te verzinnen. Er waren wel andere dingen waar ze zich druk om moest maken: economische onafhankelijkheid, sociale integratie, nationale trots. Ze had leren accepteren dat als ze de kinderen ook maar een paar van die principes kon bijbrengen, ze zoveel lipgloss op mochten als ze maar wilden.

'Molweni, Mohumagadi. Molweni, Tata,' zei het jonge meisje. Ze groette hen beiden en ging toen voorzichtig op de stoel tegenover Mohumagadi zitten.

'Gaat het goed met je?'

'Heel goed, dank u, Mohumagadi,' antwoordde het meisje snel.

'Ik heb begrepen dat je moeder in het buitenland is?'

'Ja. Mama is heel druk sinds de presentatie van haar boek, de reacties zijn overweldigend. We zijn er allemaal heel blij mee.' Ndudumo draaide zich om op haar stoel en keek naar pater Bill, die een papiertje en een pen vasthield. Ze praatte verder tegen hem. 'U hebt misschien weleens van mijn moeder gehoord, Ntombovuyo Pooi. We hebben niet dezelfde achternaam omdat zij onder haar meisjesnaam schrijft; ze is met die naam haar leven begonnen, en daarom vindt ze dat ze haar schrijversleven ook onder die naam moet beginnen. In elk geval heeft mijn moeder, Ntombovuyo Pooi dus, een boek geschreven over de seksuele emancipatie van de zwarte vrouw, een soort seksuele bewustwording, een prachtig boek dat op het juiste moment is geschreven en vele Afrikaanse zusters heeft bevrijd.'

'Dank je, Ndudumo. Maar voordat we afdwalen wil ik het graag hebben over de kwestie waarvoor je hier bent,' zei Mohumagadi, wier geduld op begon te raken. Ze keek hoofdschuddend naar de man die daar in zijn stoel dingen zat op te krabbelen. Ze had hem misschien moeten vragen haar kantoor te verlaten voordat ze het meisje binnenliet, maar daar was het nu te laat voor. Ze moest verder, terwijl hij onhandig in de hoek alles wat werd gezegd opschreef als een soort stenograaf.

'Ndudumo, het is ons gelukt om een brief naar je moeder te sturen waarin we hebben verteld wat er die dag in de schoolbus is voorgevallen en ze heeft ons een brief teruggestuurd waarin ze zegt dat ze het een goed idee vindt dat je het nablijfprogramma volgt dat wij voor jullie hebben opgesteld. Ze schrijft ook dat als je je daartegen verzet, we direct contact met haar moeten opnemen en dat zij dan je volledige medewerking kan garanderen.'

Mohumagadi zag dat het gezicht van het meisje betrok en ze lachte in zichzelf. Ze stond al lang genoeg aan het hoofd van deze school om alle trucjes te kennen die kinderen als Ndudumo probeerden uit te halen. Ze probeerden vaak iets te bereiken door de invloed van hun vader en moeder in de strijd te werpen. Ze dachten dat ze zichzelf uit de nesten konden werken door misbruik te maken van het schuldgevoel van hun ambitieuze ouders vanwege hun fysieke of emotionele afwezigheid. Het waren slimme kinderen, zoals alle kinderen op haar school, daarom zaten ze hier ook, maar zij was slimmer en ze had hun veel te leren, vooral de kinderen uit rijke families. Mohumagadi had ervoor gezorgd dat het incident gemeld werd aan de moeder van het kind voordat die het zelf kon vertellen, en ze had benadrukt dat er in de media aandacht aan besteed was, want ze wist zeker dat mevrouw Pooi dat heel vervelend zou vinden omdat die erg veel belang hechtte aan haar imago.

'U liegt!' riep Ndudumo uit.

'Pardon?' Mohumagadi was uit het veld geslagen.

'Dat geloof ik niet,' ging Ndudumo verder. 'Ik geloof nooit dat mijn moeder het goed zou vinden dat ik word gestraft voor het onderzoeken van mijn lichaam.'

'Zal ik de brief van je moeder dan maar even voorlezen, Ndudumo?' vroeg Mohumagadi. Ze kookte bijna van woede.

Het meisje reageerde niet, ze zat alleen maar zwijgend in haar stoel met haar armen over elkaar en ontweek Mohumagadi's blik. Daarom pakte Mohumagadi de brief en begon hardop te lezen.

Lieve Mohumagadi,

Ik bied u hierbij mijn welgemeende verontschuldigingen aan voor het gedrag van mijn dochter. Ik weet niet wat haar heeft bezield dat ze zich zo schandelijk heeft gedragen. Ik maak me zorgen om haar. U hebt mijn volledige steun bij het invoeren van maatregelen die u nodig acht om ervoor te zorgen dat zij iets dergelijks nooit meer zal doen; neem alstublieft direct contact met mij op als ze u nogmaals last bezorgt. Uw betrokkenheid bij deze kinderen wordt zeer gewaardeerd, Mohumagadi, en ik weet niet wat wij zonder u zouden moeten beginnen. Doe alstublieft wat u goeddunkt om Ndudumo in toom te houden. Ik heb een brief voor haar bijgesloten en ik zou dankbaar zijn als u die aan haar zou willen geven. Ik zal de school bezoeken zodra ik weer in het land ben.

Hoogachtend,
Ntombovuyo Pooi

Mohumagadi gaf het meisje de brief die haar moeder aan haar had geschreven, maar Ndudumo bleef met gekruiste armen zitten en maakte geen aanstalten om hem aan te pakken.

'Wil je hem niet lezen?' vroeg Mohumagadi koeltjes.

Ndudumo zei geen woord en vertrok geen spier.

'Nou, dan zal ik hem zelf wel even aan je voorlezen.'

Lieve schat,

Ik heb het verontrustende bericht gekregen dat je jezelf een beetje in de nesten hebt gewerkt. Alsjeblieft, schat, het is op het moment allemaal heel inspannend voor mama met al dat werken en reizen en het zou voor mij een stuk schelen als je jezelf niet steeds zulke moeilijkheden op de hals haalt. Ik heb echt geen tijd om steeds te worden lastiggevallen door de school. Ik geloof dat het incident te maken had met een of andere ongepastheid van seksuele aard. Alsjeblieft, lieverd, je moet echt meer zelfbeheersing hebben. Dit soort gedoe komt uiteindelijk allemaal bij mij terecht en dat is helemaal niet goed voor het imago dat ik probeer op te bouwen.

Ik was van plan om na India naar huis te gaan voor je verjaardag, maar het ziet ernaar uit dat het leven me geen pauze gunt, dus in plaats daarvan vlieg ik na afloop rechtstreeks naar Ethiopië. Mama heeft hier heel lang op moeten wachten, schat, dus je begrijpt het vast wel. Ik heb een paar duizend rand op je bankrekening gezet, en je moet me echt bellen als je verder nog iets nodig hebt. Zorg dat tante niet bij jou om geld gaat zeuren. Ik heb haar genoeg gegeven voor de boodschappen, dus als ze iets anders zegt, moet je het niet geloven. Ik bel je zodra ik tijd heb.

Ik mis je, lieverdje,
kus kus

'Ik lieg niet, Ndudumo, en ik kan zulk obstinaat gedrag in mijn school niet tolereren. Is dat duidelijk?'

Er viel een stilte.

'Is dat duidelijk, Ndudumo?'

'Ja, Mohumagadi,' zei ze zacht.

'De nablijfklas van pater Bill begint morgen en is elke dag van drie tot vijf uur. Ik verwacht dat jullie op tijd komen en volledig meewerken met pater Bill. De lessen duren zes weken en jullie moeten ze allemaal bijwonen. Dat was het, Ndudumo. Je kunt weer terug naar je klas.'

Mohumagadi legde de brief neer en keek naar het meisje. Haar rechte rug was nu een beetje gekromd en ze keek naar de grond. Het was niet haar bedoeling geweest om het kind te vernederen, maar Ndudumo was deze keer te ver gegaan. Zowel zij als haar flamboyante moeder, die vroeger diskjockey in een nachtprogramma van een lokale radiozender was geweest, waren sinds Ndudumo hier op school zat erg lastig. Door de plotselinge roem was de moeder veranderd in een wispelturig leeghoofd dat dacht dat het de verantwoordelijkheid van de school was om haar dochter op te voeden terwijl zij de wereld rondreisde ter bevordering van haar carrière. Ndudumo zat nog maar sinds het begin van dit jaar op deze school, toen haar moeder een contract met haar uitgever had gesloten en in deze buurt was komen wonen. Mohumagadi was aanvankelijk tolerant geweest en had begrip getoond voor de plotselinge veranderingen in het gezin en had Ndudumo tijd gegeven om zich aan haar nieuwe school aan te passen. Maar dat begrip reikte niet zo ver dat Mohumagadi het haar, of welk kind dan ook, toestond om zich respectloos te gedragen. Mohumagadi had van meneer Tshivhase gehoord dat het juist dit meisje was geweest dat de andere kinderen had aangemoedigd door te zeggen dat ze 'vertrouwd met hun genitaliën' moesten raken, ongeveer zoals haar moeder uitgebreid beschrijft in het tweede hoofdstuk van haar boek. Het was allemaal volkomen belachelijk. Eigenlijk was dat hele boek volkomen belachelijk. Maar zo ging het tegenwoordig in dit land, dacht Mohumagadi bij zichzelf, nu iedereen iets te zeggen kreeg.

'Je kunt weer naar de les gaan.' Maar Ndudumo bleef zitten, zonder zich te verroeren. Mohumagadi begon haar geduld te verliezen. 'Waarom blijf je zitten, Ndudumo?'

'Ik wilde vragen of dat alles was, alles wat erin staat,' fluisterde ze.

'Waarin, Ndudumo?'

'In die brief, Mohumagadi.'

'Ja, Ndudumo. Dat was alles.'

'Weet u zeker dat er niet nog een stukje in staat?'

'Ndudumo, ik raad je aan om meteen mijn kantoor te verlaten voordat je me nog meer ergert.'

Het meisje stond met tegenzin op en liep naar buiten. Het loopje van daarnet was opvallend genoeg verdwenen.

De volgende leerling kwam binnen, een kleine, mollige jongen. Pater Bill had opgemerkt dat de moed het kleine meisje diep in de schoenen zonk toen die brief van haar moeder tevoorschijn kwam, en dat haar kleine lichaam steeds verdrietiger leek toen Mohumagadi had voorgelezen dat haar moeder niet thuis zou komen voor haar verjaardag. Hij had gezien dat ze haar vingers gekruist op schoot hield toen ze Mohumagadi had gevraagd of er misschien nog iets meer in de brief stond. Hij had geprobeerd haar blik te vangen toen ze de kamer uit was gelopen zodat hij bemoedigend kon glimlachen of sympathiserend zijn schouders kon ophalen, maar ze had zijn blik ontweken en haar wenkbrauwen opgetrokken in een poging haar gevoelens te verbergen. Maar daar was het te laat voor, de emotie was te groot en glinsterde al in haar ogen. Mohumagadi had het verkeerd begrepen, vond hij. Het meisje was niet slechtgemanierd, ze was gewoon teleurgesteld omdat haar moeder voorlopig nog niet thuiskwam. Een typisch geval van slechte communicatie. Hij besloot dat hij moed zou vatten zodra hij zeker wist wat er precies aan de hand was, en dan de brief aan Mohumagadi zou vragen en aan het meisje zou geven. Hij vermoedde dat ze die graag wilde hebben.

Pater Bill, die in gedachten verzonken was, schrok op toen de mollige jongen naar hem toe kwam, zijn armen om hem heen sloeg en hem stevig omhelsde.

'Een man van God, het is een eer om u te mogen ontmoeten, pater.'

Pater Bill zag vanuit zijn ooghoek dat Mohumagadi achter haar bureau haar wenkbrauwen fronste. 'Zulwini, ga alsjeblieft zitten,' snauwde ze. Pater Bill kreeg meteen een angstig gevoel en wenste dat dat jongetje dat niet had gedaan.

'Neemt u me niet kwalijk, Mohumagadi,' antwoordde de jongen nadat hij op de stoel was neergeploft waar Ndudumo eerder zo bevallig op had gezeten. 'Ik ben gewoon zo opgetogen dat we nu deze man van God in ons midden hebben. Misschien is die zondige gebeurtenis wel voorgevallen zodat deze man op onze school kon komen om Gods kinderen te leiden. Dus misschien was het helemaal nog niet zo slecht, Mohumagadi,' zei hij lachend, waarbij er twee diepe kuiltjes in zijn wangen verschenen.

Pater Bill voelde zich een beetje opgelaten door de plotselinge aandacht. Hij vond het juist heel prettig dat hij rustig in de hoek zat waar niemand op hem lette. Deze jongen, met een gezicht dat wel ingesmeerd leek met vaseline, en wiens ogen achter de brillenglazen zo groot waren dat je voortdurend het gevoel had dat je werd bekeken, gaf hem een zeer ongemakkelijk gevoel.

'Ik ben blij dat u bij ons bent gekomen, pater Bill. Het was erg zwaar om hier helemaal alleen te zijn,' zei hij, terwijl hij met zijn knieën op de stoel ging zitten zodat hij zich kon omdraaien en de priester goed kon aankijken.'

'Alleen?' vroeg pater Bill verbaasd.

'Als enige christen,' zei de jongen zacht.

'Je bent niet de enige christen, Zulwini. En ga alsjeblieft fatsoenlijk zitten,' zei Mohumagadi gespannen.

'Nou, ik ben wel de enige actieve christen, Mohumagadi,' merkte de jongen droog op.

Pater Bill deed zijn mond open om iets aan het gesprek bij te dragen, maar er kwam geen geluid uit. Hij wist niet goed hoe hij moest reageren en of hij eigenlijk wel moest reageren, vooral nu Mohumagadi zo bedenkelijk keek.

'Neem me niet kwalijk dat ik zo vrijpostig ben, pater,' ging de jongen verder. Hij was inmiddels weer netjes gaan zitten en moest nu achteromkijken als hij pater Bill wilde zien, 'maar ik geloof echt dat u op het juiste moment naar deze school gezonden bent. Of in elk geval op het juiste moment in mijn leven. Ik heb geprobeerd om hier wat meer spiritualiteit in te voeren, in m'n eentje, maar dat is een hele strijd. Een strijd die ik graag voer voor God, maar toch is het een strijd. In elk geval heeft God me nu een geestelijke mentor gezonden. Een kameraad in de strijd tegen de zonde en de duivel. De daad is gepleegd zodat u hier kon komen, pater, en ik schaam me niet meer nu ik dit begrijp.'

Pater Bill was verbluft.

'Er zijn zelfs een paar ideeën waar ik al een tijdje

mee speel, maar die ik nooit ten uitvoer heb kunnen brengen omdat ik me op een eenzame weg bevond.' De jongen zat inmiddels weer op zijn knieën op de stoel en wiebelde wild op en neer. 'Stelt u zich eens voor: een christelijke kantine waar we in de pauze onze maag vullen door de Heer te loven en te prijzen. We zouden dat het "Stillen van de Spirituele Honger" kunnen noemen.' Hier moest hij zelf onbedaarlijk om lachen. 'Sorry,' zei hij, en hij probeerde weer op adem te komen. 'Ik weet dat ik een beetje te vrijpostig ben en veel te veel klets, en u hebt natuurlijk zelf ook al een heel dynamisch programma, maar ik wilde u, nog voordat u hier begint aan Gods werk, meteen laten weten dat ik helemaal achter u sta.'

'Dank je, Zulwini,' wist pater Bill, totaal overdonderd, alleen maar uit te brengen. De jongen bleef hem verwachtingsvol glimlachend aankijken, terwijl hij omgedraaid in zijn stoel bleef zitten, en het was duidelijk dat hij verwachtte dat de pater er nog iets aan zou toevoegen.

'Ik heb helaas nog geen grootse plannen, maar een goed begin lijkt mij geschiedenis.'

'Aha, kerkgeschiedenis. Uitstekend!' Zulwini klapte in zijn handen. Dat had pater Bill niet bedoeld, hij bedoelde gewone geschiedenis, maar deze jongen...

'Zo is het wel genoeg, Zulwini,' onderbrak Mohumagadi hem. Ze deed geen poging om haar irritatie te verbergen. 'Ik heb je niet hierheen laten komen om geïnformeerd te worden over je evangelisatieplannen, maar om je op de hoogte te stellen van de straf. Of je je nu schaamt of niet, en of je nu meent dat dit wel of niet een godsgeschenk is: jij en de andere leerlingen zullen in elk geval gestraft worden. De nablijfklas van pater Bill begint morgenmiddag en is van drie tot vijf uur, en ik zou het waarderen als je pater Bill rustig laat doen waarvoor hij gekomen is. Alle andere zaken doe je maar in je eigen tijd en niet in de tijd die gereserveerd is voor de nablijfuren. Is dat duidelijk?'

'Ja, Mohumagadi.'

De jongen keek naar hem, lachte hem met een brede, hartelijke grijns toe en stak zijn duim naar hem op. Pater Bill voelde zich een beetje van zijn stuk gebracht door de explosieve manier van doen van de jongen en keek vragend naar Mohumagadi. Toen ze zag dat hij naar haar keek, wendde ze haar blik af.

'Zulwini, je kunt weer terug naar de les.'

De jongen sprong op, liep naar pater Bill toe, sloeg nogmaals zijn armen om hem heen en vertrok.

Toen Mohumagadi zag dat Zulwini door de aanwezigheid van pater Bill van enthousiasme bijna een toeval kreeg, vroeg ze zich af of het te laat was om van de man af te komen. Het was duidelijk een grote vergissing. Ze had de hulp van een gewone psycholoog in moeten roepen, niet van deze in ongenade gevallen priester die de kinderen wilde volproppen met kerkgeschiedenis. Ze kon zich niet herinneren wanneer ze zich voor het laatst zo stuurloos had gevoeld. En ze kon het gevoel dat hij haar gaf niet van zich afzetten. Het leek op de minachting die Jo'burgers hadden voor de zee: al dat zand, de viezigheid, de 550 rand die je moest uitgeven bij de kapper omdat je kapsel geruïneerd was. En wat moest je eigenlijk doen als je in het water zat? Staan, duiken, kopje-onder? Aan land, oké, daar had je alles onder controle, maar in dat diepe, smerige, weerspannige water maakte je toch geen enkele kans?

'Neem het onze kinderen maar niet kwalijk, pater Bill. We moedigen ze aan om zich met passie te verdiepen in de dingen die ze boeiend vinden, maar dat pakt niet altijd positief uit, zoals in het geval van Zulwini. Zijn moeder maakt zich daar grote zorgen over, maar wij hebben ons inmiddels neergelegd bij het feit dat de meeste kinderen dergelijke religieuze hartstocht wel ontgroeien als ze eenmaal op de middelbare school zitten, en ik ben ervan overtuigd dat dat bij hem ook het geval zal zijn door zorgvuldige studie en het verstrijken van de tijd. Intussen is het echter wel erg vervelend.'

Er waren nog twee kinderen die toegesproken moesten worden.

Ze wilde van hem af. Van pater Bill. Ze keek weer naar hem, zoals hij daar zat; hij ademde luidruchtig en verspreidde een vreemde geur in haar kantoor. Zijn haar plakte aan zijn transpirerende voorhoofd. Ze wilde dat hij wegging.

'Stuur de laatste twee samen naar binnen, miss L.,' zei ze in de telefoon.

De kinderen kwamen het kantoor in, Moya verborg zich zoals gewoonlijk achter haar lengte, en Mlilo kwam er meteen achteraan. Ze wist niet wat ze met Moya aan moest. Het meisje had vele malen gezegd dat ze alleen op deze school zat omdat haar moeder dat wilde en dat ze de eerste de beste kans zou aangrijpen om het land te verlaten. En wat Mlilo betrof: die maakte haar alleen maar verdrietig. Het deed haar pijn dat hij hierbij betrokken was, bij hem voelde ze dat nog meer dan bij de andere kinderen. Ze wist dat ze geen lievelingetjes mocht hebben en ze hield zichzelf voortdurend voor dat ze ook geen lievelingetjes had, eentje maar, en dat dat iets heel anders was. Op de gang hoorde ze iemand zingen:

'*It is well in my soul. It is well in my soul. It is well in my soul and everything is just all right.*'

Dat was Zulwini. Wat deed die daar nog terwijl hij allang weer in de klas moest zitten? Ze keek naar de twee kinderen die voor haar zaten en dacht aan de jongen die op de gang psalmen stond te zingen. Ze zuchtte. En de dag was nog maar net begonnen!

'Ik heb jullie hier laten komen om te zeggen dat ik met jullie ouders gesproken heb. Ze zijn op de hoogte van wat er op 1 maart is voorgevallen en ze vinden ook dat jullie je onbehoorlijk hebben gedragen en moeten worden gestraft. "Straffen" is geen woord wat wij hier op Sekolo sa Ditlhora graag horen. Het is niet iets wat wij gewend zijn te doen. Het type leerling dat wij hier aannemen, heeft ons tot op heden gevrijwaard van het moeten ontplooien van banale activiteiten zoals het nemen van disciplinaire maatregelen. Maar wat jullie hebben gedaan, heeft ons daar toch toe genoodzaakt. Jullie hebben niet alleen jezelf te schande gemaakt en je ouders teleurgesteld, maar de reputatie van deze school is in het geding. Ik hoop dat jullie daar de les uit zullen trekken dat de gevolgen van jullie activiteiten verder reiken dan jullie eigen tienjarige leventje.

De school heeft iemand van buiten in de arm genomen om toezicht te houden op de gestructureerde disciplinaire maatregelen die voor jullie zijn genomen. Jullie zullen die sessies de komende zes weken bijwonen, elke middag van drie tot vijf uur, vanaf morgenmiddag. Zijn er nog vragen?'

'Neemt u me niet kwalijk, Mohumagadi, maar wie zal die disciplinaire straffen uitvoeren?' vroeg Mlilo zacht. Het meisjes dat in de stoel naast hem zat, keek alleen maar naar haar handen.

'Dat is pater Bill, Mlilo. Was je vanochtend niet bij de dagopening?' vroeg Mohumagadi kortaf. Ze wist dat de jongen het antwoord op zijn vraag allang wist en ze vroeg zich af wat hij van plan was.

'Hij?' riep Mlilo uit.

Iedereen in de kamer schrok, ook Mohumagadi. Pater Bill stootte van schrik het theekopje van het tafeltje, waarbij de inhoud op het tapijt terechtkwam. Mohumagadi pakte de telefoon en drukte op de 1. Miss L. zou wel begrijpen dat ze moest komen. Mohumagadi keek ernstig naar Mlilo en waarschuwde hem met een dreigende blik dat hij zich maar beter kon gedragen.

'Mohumagadi, ik erken dat het verkeerd is wat wij hebben gedaan. Maar hij? Een blanke man? Een blanke priester? Sinds wanneer huurt Sekolo sa Dithora blanke priesters in? Wat weet hij van ons? Wat zou hij ons nog kunnen leren?'

'*Mlilo ge o nyaka ke go raka mo sekolong se*, ga vooral zo door met wat je nu doet. Dan vlieg je er nog voor de eerste pauze uit, jongen.' Mohumagadi voelde een steen op haar maag terwijl ze dit zei. Ze was woest over Mlilo's onbeschaamdheid. Hoe durfde hij haar autoriteit in twijfel te trekken? Ze moest opeens naar de wc, ze moest hier weg. Ze waren al bang geweest voor zulke opmerkingen, en daarom had ze het bestuur om raad gevraagd voordat ze die man hier binnen hadden gehaald. Maar Mlilo was een kind, een koppig kind. Het maakte haar razend dat hij haar heel even in de verdediging had weten te drukken en dat ze had willen uitleggen dat niet zij maar de andere leraren er een priester bij hadden willen halen, en dat niet zij maar de bisschop een blanke had gekozen. Hoe hadden ze dat kunnen weigeren, hoe hadden ze kunnen zeggen dat ze liever een zwarte priester wilden hebben? Zoiets konden ze toch niet rechtvaardigen? Hoe meer ze erover nadacht, hoe bozer ze werd. Er was een besluit genomen en iedereen moest dat maar respecteren. Ze zou niet toestaan dat een kind van tien haar in haar eigen kantoor van haar stuk bracht.

'Als jullie verder geen vragen hebben, mogen jullie allebei terug naar de les. Ik verwacht volledige medewerking met pater Bill en ik wil niet horen dat jullie verdere moeilijkheden veroorzaken. Begrijpen wij elkaar?'

'Ja, Mohumagadi,' zeiden ze in koor.

Pater Bill zag dat de jongen hem met pure minachting en woedend aankeek toen hij de kamer uit liep, en hij wendde zijn blik af. De jongen had mooie ogen, groene ogen, maar ze waren ook angstaanjagend. Hij had nog nooit zulke groene ogen gezien bij iemand met zo'n donkere huid. Het theekopje was van tafel gestoten toen hij door het plotselinge geschreeuw van de jongen uit zijn gepeins was opgeschrikt. Hij had erover na zitten denken hoe hij het toch voor elkaar gekregen had om te worden weggestuurd, alwéér, en waarom hij had gedaan wat hij die dag gedaan had. Waarom hij na de mis was gebleven om Sibongile te helpen met het afwassen van de theekopjes, waarom hij haar *seshoeshoe* rok had opgetild, haar broekje naar beneden had getrokken dat naar Zambuck rook, waarom ze niet hadden verwacht dat iemand het zou horen toen de theekopjes van de tafel vielen. Waarom hij dit had gedaan terwijl het niet hoefde, terwijl hij het niet zou hebben gemist als het niet was gebeurd omdat het volslagen betekenisloos voor hem was. Hij had erover nagedacht waarom hij zulke dingen deed toen dat theekopje van het tafeltje viel en de groene stukjes op het kleed van Mohumagadi lagen.

Miss L. was binnengekomen, had de rommel op de vloer gezien, hem aangekeken en nadrukkelijk naar hem geglimlacht, waarna ze de kamer weer uit was gelopen en even later was teruggekomen met een emmer en een spons. Hij maakte aanstalten om op zijn knieën te gaan zitten en de vrouw te helpen, maar dat wuifde ze weg. Ze zei iets op geërgerde toon, waar hij uit concludeerde dat hij maar beter weer op zijn stoel kon gaan zitten.

Een blanke man? Een blanke priester? Wat weet hij van ons? Wat zou hij ons nog kunnen leren?

Die woorden van de jongen klonken na in zijn hoofd. Hij had nog nooit iemand van tien jaar op zo'n manier horen praten. Maar de kleine jongen had gelijk: wat had hij nog te bieden? Hij wist het niet en hij was bang dat hij misschien wel meer kwaad dan goed zou doen. Nee, dat mocht niet gebeuren. Hij had al veel te veel levens verwoest. Die arme Sibongile, ze hadden zelfs nog nooit met elkaar gesproken tot die ochtend, behalve dan een enkele begroeting in het voorbijgaan. Hij had pas gehoord hoe ze heette toen hun kleren al op de grond lagen, ze tussen die kapotte theekopjes stonden, en Penny Thatcher binnen was gekomen en had geschreeuwd: 'Sibongile, wat doe je?' Hij wist niet wat er met haar was gebeurd, hij had zijn spullen gepakt en was vertrokken nog voordat ze iets konden zeggen. Hoe vaak zou hij zijn spullen moeten pakken en op 'retraite' gestuurd moeten worden voordat hij geen problemen meer zou veroorzaken? Hij wist het niet. Hij wist evenmin hoeveel kansen hij nog had. Hij had niet eens afscheid genomen. Ze hadden haar waarschijnlijk ontslagen, vriendelijk, maar wel ontslagen. De jongen had gelijk, hij kon niets waardevols bijdragen aan de school, maar hij zou er in elk geval voor zorgen dat hij ook niets verkeerds deed. Mohumagadi herinnerde zich hem niet en dat moest zo blijven. Hij moest hier zes weken zijn en in die zes weken zou hij iedereen mijden. Als hij terugging, zou hij zijn veranderd. Dan zou hij zich kunnen verbinden. Misschien zou hij iemand vinden, of misschien ook niet, maar hij zou in elk geval leven zoals het hoort.

'Nou, dat was een enerverende ochtend, vond u niet, pater Bill?' vroeg Mohumagadi nadat ze was opgestaan en haastig wat dingen van haar bureau in haar tas had gestopt. 'U bent vast net zo uitgeput als ik, dus het staat u vrij om na de rondleiding te vertrekken.' Hij keek toe terwijl ze ook een nietmachine in haar tas stopte en vroeg zich af of ze wel in de gaten had dat ze alle spullen van het bureau meenam.

'We beginnen 's ochtends om acht uur precies en ik verwacht u elke ochtend bij de processie vanaf de galerij naar de aula. Ik zal zorgen dat er om half-twaalf een leerling bij de Plaatjie-fontein klaarstaat om u een rondleiding te geven. Nu moet ik opschieten. U kunt tot die tijd wachten in de docentenkamer. Die is vlak om de hoek, u kunt het niet missen, en dan hebt u ook de gelegenheid om kennis te maken met de collega's.'

Hij keek op de klok aan de muur, maar kon geen wijs worden uit al die wijzers. Hij wilde op zijn digitale horloge kijken, maar merkte dat hij vergeten was dat om te doen. Hij raakte in paniek. 11:30. 11:30. 11:30. Waarom kon hij toch niet onthouden hoe dat er ook alweer uitzag?

'Als de grote wijzer op de 6 staat en de kleine tussen de 11 en de 12,' zei ze, en ze liep de kamer uit.

Zijn gezicht werd warm, gloeiend heet, het brandde. Hij bloosde. Wist ze nog wie hij was? Dat moest wel, als ze zich dit nog herinnerde. Ze kende hem nog! Niemand behalve zij wist dat hij niet kon klokkijken, het was vijftien jaar geleden, maar ze was het niet vergeten. Hij kon zich niet herinneren wanneer hij zich voor het laatst zo gelukkig had gevoeld.

12 maart

Lieve God,

De bisschop heeft me dit dagboek gegeven om me te helpen nadenken. Ik kreeg het dringende advies om er elke dag in te schrijven. Nadenken, zoals ze schoolkinderen ook laten doen. Ik ben niet beledigd door dat voorstel, ik vind het alleen jammer voor ze want te weinig nadenken is het probleem niet. Maar toch zal ik het doen. En ik zal mijn gedachten aan U richten, als U het niet erg vindt. Want het is vreemd om aan niemand te schrijven.

Ik ben uitgeput. Ik ben gisteravond vroeg naar bed gegaan en ik heb goed geslapen, dus waarom ben ik dan zo moe? Ik heb net gegeten, dus waarom voel ik me zo leeg? Moet ik nog iets eten? Heb ik nog steeds honger? Had ik net eigenlijk wel honger?

Hoe mijn dag was, God?

Mijn dag was net zo lastig als het dichtklappen van een strijkplank. Hoe was Uw dag?

Bill

Mohumagadi werd wakker en staarde naar de schaduwen op de muur. Ze keek naar ze zoals ze naar haar keken. Haar hoofd voelde duf en haar ogen waren opgezwollen. Ze reikte op het tafeltje naast haar bed naar de telefoon en hoopte dat het nog geen tijd was om op te staan. Ze was in slaap gevallen met het gevoel dat er een compleet proefschrift in haar hoofd zat, met hoofdstukken vol tegenstrijdige gedachten die door haar geest maalden. Ze geloofde niet zo in pijnstillers en was naar bed gegaan met hoofdpijn, die ze nu weer terug voelde komen. De telefoon gaf aan dat het 4:35 uur was. Vijfentwintig minuten voordat ze op moest staan.

Ze zuchtte; ze voelde zich moe en zwaar. Ze was de vorige middag vroeg van school vertrokken om thuis te lunchen, achter haar bureau te gaan zitten en dan te bedenken wat ze nu met die man aan moest. Daarna wilde ze theezetten, de krant lezen, haar avondeten opwarmen, haar mail lezen, naar het journaal kijken, haar agenda checken en zich voorbereiden op de volgende dag. Dat was haar plan geweest, haar dagelijkse routine. Maar er was onderweg een ongeluk gebeurd en ze had een uur vastgezeten in het verkeer. Toen ze thuiskwam had ze geen trek en had ze het te warm om thee te drinken; ze was ook vergeten om de krant mee te nemen en had in de haast haar laptop op school laten staan. Haar agenda lag nog in de auto en ze had geen zin om die eruit te halen. Daarom had ze een beker melk opgewarmd, in een kom gedaan en op haar kastanjehouten nachtkastje gezet; vervolgens was ze in bed gaan liggen en had de geur van de warme melk opgesnoven. Meestal vond ze dat vertroostend, ze kon er beter door slapen: het deed haar denken aan vroeger, als ze om vier uur 's ochtends wakker werd en bo mama melk opwarmde voor hun ontbijt voordat zij naar school moesten. Maar die avond werd ze er niet rustiger door, alleen maar warm. Warm en benauwd lag ze in haar blazer van Vicky & Vincent, haar Parana-shirt, doorschijnende panty, parelketting en Alfindo-robijnen oorbellen te staren naar de schaduwen op de muur.

Maar nu was er een nieuwe dag aangebroken. Ze moest opstaan en zich vermannen. Gewoon opstaan en aan de slag, niet nadenken, maar opstaan en aan de slag, zei ze tegen zichzelf. Zo moeilijk was het allemaal niet. Die pater was een zielige, onbelangrijke man die thuishoorde in een andere tijd toen alles nog heel anders was dan nu. Waarom voelde ze zich zo ongemakkelijk? Het was onmogelijk dat ze nog iets voor hem voelde, en zelfs als ze dat wel deed had ze gisteren, toen ze hem in haar kantoor zag zitten, toch moeten inzien wat een triest figuur hij was. In elk geval vormde hij geen bedreiging. De kinderen vonden hem misschien een tijdje fascinerend, zoals kinderen iets nieuws en vreemds altijd fascinerend vinden, maar zodra ze in de gaten kregen dat ze weinig van die man konden leren, zou dat wel weer overgaan. Maar waarom, ja, waarom was ze dan zo zenuwachtig?

Opstaan en aan de slag gaan ging prima. Ze zocht zelfs een Sloui Martin-rokje, Baleri-sjaal en een witte blouse bij elkaar, en die combinatie vond ze verrassend mooi. Ze nam een goed ontbijt: *bran bayou* met gewone yoghurt, een ontbijtreep met bosvruchten en zelfgeperst sinaasappelsap. Het was onderweg niet druk en ze was zoals altijd stipt om zeven uur 's ochtends op school. Alles ging goed, totdat ze haar handtas van de stoel naast zich pakte en eronder keek, waar een krantenknipsel in een plastic hoesje hoorde te liggen voor op het prikbord. Er lag niets. Het zware gevoel van de dag ervoor bedrukte haar meteen weer, dreigde haar te vermorzelen, en ze kreeg zin om de motor te starten en naar huis te vluchten. Ze was vergeten om een stukje uit de krant te knippen voor de kinderen. Ze knipte elke dag een stukje uit en elke dag hing ze dat op het prikbord zodat de kinderen het konden lezen. Miss L. zei altijd dat ze dat karweitje niet zelf hoefde te doen, dat zij, miss L., best elke dag een krantenartikel naar de kinderen kon laten e-mailen. Maar Mohumagadi was erop gesteld om elke dag de avondkrant te lezen met de kinderen in haar achterhoofd. Haar hele bestaan draaide om de school en de kinderen, vooral het afgelopen jaar waarin er in het land zoveel was gebeurd, er zoveel was veranderd, en alles wat ooit zo zeker leek dat nu niet meer was. Maar ze vertrouwde erop dat deze kinderen iets zouden kunnen veranderen. Ze maakte zich niet eens meer boos om de nieuwsberichten waar ze vroeger de tv om uitzette. Nu keek ze er met een toegeeflijke glimlach naar omdat ze geloofde dat haar school het geheim was. Ze wist dat het tijd zou kosten, maar dat was nu eenmaal zo met veranderingen ten goede. Ze was geduldig, en met dat geduld hielp ze mee aan de ontwikkeling van de jonge mensen die de veranderingen zouden doorvoeren. Die het dak zouden bouwen. Ze had nooit tijd gehad om na te denken over haar eigen leven, omdat de dingen waar ze deel van uitmaakte veel groter waren dan zij. Daarom kon ze het niet verdragen; ze kon niet verdragen dat ze zou instorten vanwege het spookbeeld van een man die haar had verlaten en nooit meer iets van zich had laten horen.

Hij kwam te laat. Acht uur 's ochtends? Meende ze dat nou serieus? Hij moest eerst een auto zien te lenen, van zijn huisbaas misschien, of van iemand anders. Hij vond het niet prettig om daar zijn toevlucht toe te moeten nemen, maar hij wist dat zijn priesterboordje zoiets een stuk gemakkelijker maakte. De mensen vonden het moeilijk om nee te zeggen tegen een geestelijke. Vrouwen vonden het moeilijk om nee te zeggen tegen een geestelijke.

Waarom hij elke ochtend om acht uur aanwezig moest zijn, wist hij niet. De kinderen hoefden pas 's middags bij hem te komen. Misschien was het wel een idee van de bisschop: 'Ledigheid is des duivels oorkussen' was zijn favoriete gezegde. Ledigheid? Hij lachte in zichzelf bij die gedachte. Hij zou er heel wat voor over hebben als zijn geest ledig kon zijn!

Tegen de tijd dat hij de school binnen kwam, was het 8:30 uur. Hij liep gehaast naar de aula, maar onheilspellend genoeg waren de deuren al gesloten. Hij legde zijn oor tegen de deur, maar kon niet horen of er mensen binnen waren of niet. De deur was zwaar en piepte keihard toen hij hem een klein stukje opende. Hij stak zijn hoofd om de hoek, waarop een zee van hoofden zich omdraaide. Alle docenten zaten op het podium en Mohumagadi zat voor een kleine verhoging. Pater Bill haastte zich door het gangpad naar het podium en mompelde in het voorbijgaan verontschuldigingen. Hij probeerde zo geluidloos mogelijk te lopen, maar zijn voetstappen leken oorverdovende hoefslagen die door zijn hoofd galoppeerden. Mohumagadi zuchtte hoorbaar en ging verder met haar toespraak. Een van de docenten wees op een lege stoel. Daarop lag een kopie met de tekst van het schoollied. Hij keek om zich heen: niemand anders had zo'n vel. Hij wist zeker dat zijn knalrode gezicht zo vurig was als de woede die hij in Mohumagadi's ogen meende te zien. Het zweet stond hem in de handen en hij voelde zijn onderhemd in zijn oksels plakken, die langzaam begonnen te stinken. Lieve Heer, help me alstublieft deze dag door, bad hij zwijgend. Was hij maar niet te laat gekomen.

Na de dagopening probeerde hij een gesprekje aan te knopen met een paar docenten, maar ze hadden allemaal haast. Presentaties, proefjes waarvoor iets moest worden klaargezet, videoconferenties met leerlingen aan de andere kant van het continent: dat moest allemaal worden voorbereid. Hij was de enige die niets te doen had. Misschien als hij eerder was gekomen.

Hij kon zich niet herinneren waar in de enorme school zijn klaslokaal precies was, maar hij had wel een idee waar het ongeveer moest zijn en hij vond het niet erg om even te moeten zoeken. Zijn rondleiding van de vorige dag was heel kort geweest, net als de paar ontmoetingen die hij tot nu toe had gehad, dus hij was blij toen hij iets bekends zag. Zelfs de gangen waren mooi, met kleine spotjes die als sterren aan het plafond hingen; sommige gedeelten waren overdekt en andere niet, ze waren met elkaar verbonden door betegelde paden met grote Oost-Afrikaanse potten waar zo nu en dan vogels in zaten. Het zachte geluid van water stilde de onrust waarmee hij die ochtend was binnengekomen en hij werd herinnerd aan de triomf van Gods schepping.

Uiteindelijk vond hij de weg naar het lokaal. Er was niemand. Hij had niets anders bij zich dan zijn pen en zijn dagboek, waarvan het suède omslag inmiddels vochtig was van zijn zweterige handpalmen. Hij liet zijn duim over de bladzijden van het dagboek glijden en hij was blij dat hij het had meegenomen: het was zijn metgezel tijdens zijn verblijf hier. Ze hadden hem verteld dat alle leerlingen en de leden van de staf op school lunchten, dus over het eten hoefde hij zich geen zorgen te maken. Misschien had hij een bijbel mee moeten nemen. Dat zou een goede indruk hebben gemaakt.

Het lokaal was heel anders dan de lokalen uit zijn jeugd: een projectiescherm in plaats van een krijtbord, een elektronische aanwijsstok in plaats van krijt. De tafels en stoelen stonden niet in rijen, maar waren in een cirkel neergezet, en er was maar plaats voor tien leerlingen. De uitsparingen voor een liniaal en een pen in de schooltafels van vroeger waren beschamend primitief vergeleken met de internetaansluitingen op deze tafels. Planken met cd's aan de muren. Veel ramen en erg veel zonlicht. Achterin was een ruimte voor jassen en tassen en tegen een van de zijmuren stond een tafel met koffie, thee en bekers. Hij zigzagde tussen de stoelen heen en weer, voelde aan het hout van de tafelbladen, liet zijn handen over de stof van iedere stoel glijden. 'Pluche' was het woord dat in hem opkwam. 'Duur' volgde daar meteen op. Wat waren dit voor kinderen die op deze school kwamen, vroeg hij zich af, en wat voor krankzinnige bedragen betaalden de ouders om ze hier te krijgen? Hoe rechtvaardigden ze het feit dat ze zoveel geld aan zo'n soort school besteedden, terwijl veel andere kinderen in dit land onder een boom het alfabet moesten opdreunen? Hij zette die gedachte meteen weer uit zijn hoofd. Hij wist niet zeker of er eigenlijk veel kinderen onder een boom het alfabet moesten leren, dat had hij alleen maar gehoord. Een anekdote. Dit was een goede school en waarom zou hij kritiek hebben op iets waar hij nauwelijks iets vanaf wist? Hij besloot dat hij zijn gedachten beter kon beperken tot de paar die nodig waren om hem de komende zes weken door te helpen.

Het had eindeloos lang geduurd tot het drie uur werd en nu het zover was, wilde Mohumagadi dat het nog niet zo laat was. Ze was al de hele dag geobsedeerd door de gedachte aan dit moment. De school was bezig met een uitwisseling: er was een zusterschool voor volwassenen in Mpumalanga en daar werden een paar leerlingen uit de zesde naartoe gestuurd voor het Mathmarvel Festival, dat een week duurde. Ze had een ontbijtbespreking gehad met mensen van het ministerie van Onderwijs, maar die was helemaal misgelopen omdat ze voortdurend aan de man op school en het tijdstip van drie uur moest denken. Zijn late komst die ochtend had opnieuw een spektakel veroorzaakt en daar wilde ze hem over onderhouden. Eigenlijk was het heel gênant om een volwassen man iets te moeten leren over punctualiteit. Ze liep terug naar de parkeerplaats met mevrouw Zondi, van Injecting Innovation, die was gekomen om een voorgesteld project te bespreken waar de school misschien aan wilde deelnemen: 'Beteugelen van de corruptiecultuur begint bij de jeugd'. Ze keek in de tuin, half verwachtend de man daarin te zien ronddwalen. Ze zou hem meteen ontslaan als dat zo was, als hij als een kind op het gras speelde. Maar hij was nergens te bekennen, zelfs niet in de docentenkamer waar ze even om de hoek keek op de terugweg van haar lunch met uMhlekazi Tshwete, die haar had bijgepraat over de *Winter Warmer Children's Opera* die in het volgende trimester zou worden opgevoerd in de Khamisa. Hij had toch niet van 8:30 tot nu in dat lokaal gezeten? Ze vond het verschrikkelijk dat ze zo door hem geobsedeerd was. Ze hoopte dat niemand daar iets van merkte, al wist ze zeker dat de meedogenloze glimlach van miss L. geen teken van vreugde was, maar voortkwam uit de vraag waarom ze niet langer dan tien minuten rustig in haar kantoor kon zitten. En nu het drie uur was, wist ze niet goed wat ze moest doen. Zou het gepast zijn als ze naar zijn lokaal liep om eens te kijken hoe het daar ging? Het was per slot van rekening zijn eerste dag en misschien had hij wat goede raad nodig. Bij haar andere stafleden deed ze dat echter nooit, maar die waren door het bestuur aangesteld, hadden een uitgebreide en respectabele cv en waren aan de tand gevoeld in een serie gesprekken voordat ze hier op school kwamen. Dat was niet hetzelfde. Hij was niet hetzelfde. Mohumagadi zuchtte. Haar inbox stond vol mails die ze niet had gelezen, wel had geopend en had gemarkeerd om later in te zien, of voor een deel had beantwoord en bewaard als concept. Ze had ontzettend veel te doen, maar ze kon zich niet concentreren. Ze keek op de klok. Het was 3:02 uur.

Hij was achter zijn bureau in slaap gevallen en sliep nog steeds toen de kinderen binnenkwamen. Hij schrok wakker toen de deur werd dichtgedaan, deed zijn ogen open en zag dat ze naast hun stoel naar hem stonden te kijken.

'Molweni, pater Bill,' zeiden ze in koor. Hij sprong op en keek op zijn horloge. 3:02 uur. Hij was bijna twee uur onder zeil geweest en had de lunch gemist.

'Hallo, hallo,' zei hij snel. Hij kwam achter zijn bureau vandaan, liep naar ze toe en lachte nerveus terwijl hij ze een hand gaf. 'Hoe gaat het? Prettig kennis met jullie te maken.' Hij voelde zich een beetje opgelaten omdat hij in slaap was gevallen, en dat zei hij ook.

'Goed, nu we de eerste indrukken hebben opgedaan...' begon hij grinnikend, terwijl hij in zijn gezicht voelde naar slaapkreukels, '... ik ben pater Bill. Ik heb jullie allemaal gisterochtend al even ontmoet in het kantoor van Tshokolo, of ik bedoel in dat van Mohumagadi, maar ik dacht dat het wel leuk was als we onszelf nog eens aan elkaar voorstelden.'

Ze zwegen. Hij vroeg zich af of ze hadden gemerkt dat hij zich met haar naam had vergist. Hij moest eraan wennen om haar Mohumagadi te noemen.

'Oké, wie wil er beginnen?'

Niets. Geen woord, nog geen syllabe kwam er over hun lippen.

'Wil jij beginnen?' vroeg hij aan het meisje dat het dichtst bij hem stond.

'Mogen we nu alstublieft gaan zitten?' was haar reactie.

'O ja, natuurlijk!' Hij werd opnieuw rood in zijn gezicht. 'Ja, ga maar zitten. Ik was even vergeten hoe dat ook alweer gaat in een klas. Jullie blijven staan totdat de leraar zegt dat je mag gaan zitten, is het niet?' Hij vroeg het op warme toon, in een poging de stemming wat op te vrolijken. 'Het is erg lang geleden dat ik zelf op school zat, en ik moet eerlijk zeggen dat ik die rare regeltjes nooit zo goed begrepen heb. Waarom zou de meester mogen bepalen wanneer we mochten zitten en wanneer niet?'

'Uit respect,' zei de jongen met de opvallende groene ogen, de jongen van wie hij zich herinnerde dat hij niet blij was met zijn komst.

Pater Bill lachte ongemakkelijk en deed alsof hij de vijandige toon van de jongen niet opmerkte. De deur zwaaide open en de mollige jongen kwam binnen, die met de kuiltjes in zijn wangen en een bril. Hij had een stapeltje bijbels bij zich.

'Het spijt me heel erg dat ik te laat ben, pater Bill. Ik was hier zelfs al voor drie uur om te vragen of ik misschien kon helpen met de voorbereiding voor vanmiddag, maar u sliep en ik wilde u niet wakker maken. Toen zag ik dat er hier niet één bijbel in het lokaal was. Onvoorstelbaar dat de school zo nalatig is en niet eens een paar bijbels beschikbaar stelt voor de les. Dus toen ben ik naar de Mphahlele-bibliotheek gegaan om er een paar te halen waar we vanmiddag mee kunnen werken. We kunnen er later altijd nog wat bij halen, maar ik heb vast geprobeerd zoveel mogelijk verschillende versies te krijgen.'

Pater Bill wilde hem erop wijzen dat dit een nablijfklas was, geen Bijbelles, en dat al die verschillende bijbels zelfs in dat geval niet nodig waren geweest. Maar dat deed hij niet. Hij bedankte de jongen en vroeg hem te gaan zitten. Hij had niet gemerkt dat een van de kinderen ontbrak tot er nog een jongen binnenkwam en hij zich in stilte berispte om zijn onoplettendheid.

'Goed, zullen we het nog eens proberen? Namen, namen, namen graag!' zei hij met een lach. De hand van de mollige jongen schoot omhoog terwijl hij intussen de bijbels op de tafel uitstalde.

'Ja?' zei pater Bill, enigszins overdonderd door het enthousiasme van het kind.

'Moeten we niet beginnen met een gebed?'

'Nee, laten we gewoon beginnen met de namen.' Pater Bill vroeg zich verbluft af of die jongen eigenlijk wel wist dat dit een nablijfklas was.

'Oké, ik begin wel,' zei hij een beetje giechelig. 'Ik ben Zulwini Dladla en ik ben tien jaar.'

'Prettig kennis te maken, Zulwini.' Hij keek naar

het meisje dat hij eigenlijk als eerste naar haar naam had gevraagd. 'En wie ben jij, mevrouw?'

'Ndudumo Mazibuko, dochter van Ntombovuyo Pooi,' zei ze, waarbij ze de klanken langzaam over haar tong liet rollen.

'Prettig kennis te maken. Mag ik je 'D' noemen?'

'Nee,' antwoordde de jongen die zijn afkeer van pater Bill niet probeerde te verbergen. Iedereen keek verbaasd op, vooral pater Bill.

Ndudumo keek met een half lachje vragend naar de jongen en zei toen tegen pater Bill: 'Nee, dank u, ik heb liever dat u me bij mijn volledige naam noemt.'

Pater Bill probeerde alleen maar vriendelijk te zijn. Hij kreeg een knoop in zijn maag toen hij de vijandige jongen aankeek die het hem op zijn eerste dag al zo moeilijk maakte. 'En jij, meneer? Hoe heet jij?'

'Mlilo Graham. M-L-I-L-O Graham. Kunt u dat onthouden?' vroeg hij sarcastisch.

Pater Bill haalde diep adem. 'Prettig kennis te maken, Mlilo,' zei hij, zonder te reageren op de vijandige houding. 'En dan jij tot slot, mevrouw, hoe heet jij?'

'Moya Mntambo,' antwoordde het meisje zacht terwijl ze naar haar voeten keek.

'Prettig kennis te maken, Moya, en dat geldt voor jullie allemaal.'

Hij liep naar zijn tafel. Hij wist niet goed wat hij nu moest doen, maar de kinderen wel, want ze haalden laptops, etuis en schriften tevoorschijn en gingen aan het werk. Oké, dacht hij, dus ze hebben blijkbaar huiswerk waar ze mee aan de slag kunnen. Hij voelde zich een beetje verslagen. Hij wist eigenlijk niet wat hij had verwacht, maar dit in elk geval niet. Toen hij zelf nog op school zat, ging het nablijven heel anders. Toen was het de bedoeling dat ze ongeveer een uur zwijgend in de klas zaten, wat nooit gebeurde, vooral niet bij leraren die geen orde konden houden. Ze klommen op de tafel, staken hun hoofd uit het raam, schoten met erwten, haalden stukken kauwgum onder de tafel vandaan en kauwden erop: het was een complete chaos. Een kinderlijke chaos, maar toch een chaos, en in elk geval totaal anders dan wat hij nu voor zich zag. Ze moesten zich maar met hun eigen werk bezighouden, dacht hij. Heel goed. Hij ging zitten. Wat zou hij nu moeten doen? Hij bekeek de kinderen stuk voor stuk en oefende in gedachten hun namen. Mlilo was de jongen die hem niet mocht, dat was duidelijk. Ndudumo was degene die het kennelijk altijd over haar beroemde moeder had. Moya zei niet veel, en Zulwini, tja, die was niet gemakkelijk over het hoofd te zien. Dat was de jongen met de bijbels, de jongen die neuriede en duizelingwekkend vrolijk was, de jongen die hem een heel ongemakkelijk gevoel gaf. Pater Bill was goed in namen, dat was hij altijd al geweest. Hij hoefde een naam maar één keer te horen en dan vergat hij die nooit meer. Dat vonden vrouwen altijd erg leuk aan hem.

Zulwini zag dat pater Bill naar hem keek; de jongen glimlachte en stak zijn duim op. Pater Bill stak ook zijn duim op, maar voelde zich meteen een beetje belachelijk. Hij keek naar het dagboek en de pen op zijn bureau, naar het stapeltje bijbels op de tafel en naar de kinderen die heel serieus zaten te werken. Ze gaven geen briefjes door, de twee meisjes zaten niet te giechelen, ze zaten niet te fluisteren, te praten of onder de tafel naar elkaar te sms'en.

Misschien moest hij opstaan en een bijbel pakken om daarin te lezen, maar hij besloot dat niet te doen. Wat moest hij daarmee? Bij het begin beginnen te lezen, zoals een roman? Hij was nu al vijftien jaar priester en hij had er nog nooit over gepeinsd om dat te doen. Hij zuchtte hoorbaar. Ze keken allemaal op, waarna hij verontschuldigend glimlachte. Zulwini stak opnieuw zijn duim op. Hij deed hetzelfde, maar hoopte dat dat niet zes weken lang zo door moest gaan. Hij keek op zijn horloge. Er was nog maar een halfuur voorbij, ze hadden dus nog anderhalf uur voor de boeg. Hij was een beetje teleurgesteld. Hij had de hele dag gewacht, maar nu zat hij opnieuw een hele poos te wachten. Hij was niet alleen teleurgesteld, maar ook boos, en hij voelde zich dom. Teleurgesteld omdat hij de komende zes weken de hele dag moest wachten tot die kinderen er eindelijk waren, en daarna tot ze weer weggingen; boos op zichzelf omdat hij iets anders had verwacht, en dom omdat hij op meer had gehoopt. Wat een triest leven had hij toch, dat het hoogtepunt van zijn dag eruit bestond dat hij bij een paar kinderen moest zitten die hij niet kende en waarvan de helft ook nog eens de pest aan hem had. De bisschop had gezegd dat hij toezicht moest houden op de nablijfklas en dat hem dat de gelegenheid bood om eens goed na te denken. Toezicht houden was inderdaad wat hij nu deed. Zes weken toezicht houden. Hoe moest hij dat overleven? Hij had het gevoel dat hij degene was die straf kreeg, alsof hij naar deze nablijfklas was gestuurd, en dat was de ergste straf die hij ooit had gekregen omdat hij hier als leraar niets anders kon doen dan zitten en zwijgen. Ja, misschien was dit inderdaad wel zijn straf. Daar had hij nog niet eens aan gedacht. Hij had wel eerder problemen gehad met vrouwen en telkens had de kerk hem vergeven en hem op retraite gestuurd om zijn zonden te overdenken. Ze hadden hem nooit veroordeeld, de kerk veroordeelde niet maar schonk altijd vergiffenis, strafte nooit, maar vergat altijd. Misschien waren ze het nu zat. Misschien was de bisschop het zat. Hij zuchtte weer, maar sloeg snel zijn hand voor zijn mond zodra hij het merkte. Hij wilde de kinderen niet opnieuw storen.

Pater Bill schrok op uit zijn gepeins toen er een tas werd opengeritst. Mlilo stopte zijn boeken, zijn laptop en zijn schrijfspullen in zijn tas. Pater Bill keek op zijn horloge. Het was 16:30 uur. Nog een halfuur te gaan. Toen hij klaar was met inpakken deed Mlilo zijn armen over elkaar en zat hem met een boze blik aan te kijken. Pater Bill glimlachte even naar hem, maar keek toen weg. Die jongen was toch niet van plan om terug te glimlachen. De andere drie kinderen waren nog aan het werk. Mlilo bleef hem met een genadeloze blik bestuderen. Pater Bill probeerde andere doelen te vinden voor zijn blik en deed zijn best om de jongen te negeren.

'Zeg eens, wat zijn eigenlijk jullie lievelingsfilms?' vroeg hij opeens hartelijk, in een poging om de spanning een beetje uit de lucht te halen. De twee meisjes legden hun pen neer en keken hem aan, Moya verbaasd en Ndudumo geamuseerd. Zulwini legde zijn vinger op zijn lippen en siste even, en Mlilo schudde zijn hoofd.

Maar pater Bill liet zich niet afschrikken.

'O, kom op. Weten jullie helemaal geen leuke films op te noemen? Iedereen weet er toch wel eentje? Wat dachten jullie van *Indiana Jones*, jongens? En de meisjes, *Marie Antoinette* misschien?'

Ndudumo begon hardop te lachen. Zulwini keek een beetje angstig.

'Oké, prima, misschien zijn die een beetje ouderwets, maar die Harry Potter-films dan? Die moeten jullie toch leuk vinden. Iedereen vindt die leuk!' Hij lachte uitbundig en daar hoefde hij geen moeite voor te doen. Hij was gek op films, ook op tekenfilms, hij was de trotse bezitter van de verzameling *101 beste films aller tijden*.

Voordat pater Bill nog iets kon zeggen, stond Mlilo op, pakte zijn tas en liep naar de deur. Pater Bill was met stomheid geslagen. Hij keek naar de jongen, die halverwege de deur ontdekte dat hij zijn blazer vergeten was en terugliep naar de kapstok. Dat allemaal zonder een woord te zeggen, zelfs zonder de minste aarzeling. Pater Bill was volkomen overdonderd.

'Hé!' Hij sprong op terwijl de jongen de deur opendeed. 'Waar ga jij naartoe?'

Mlilo bleef staan en draaide zich om. Hij wees op de klok aan de muur. 'Naar huis.' En hij vertrok. Pater Bill was sprakeloos. Bij het raam zag hij dat Mohumagadi op de gang naar hem stond te kijken. Toen hij haar blik ving, liep ze haastig weg, waarschijnlijk achter de jongen aan. Hij keek naar de andere drie kinderen, maar die ontweken zijn blik, zelfs Zulwini. Hij vroeg hun om ook te vertrekken, wat ze stilletjes deden. Toen ging hij weer in zijn stoel zitten. Ze hadden de deur open laten staan, maar hij nam niet de moeite om die dicht te doen. Hij was zich ervan bewust dat er iemand langs zou kunnen komen, iemand die zou zien dat hij hier in zijn eentje in een leeg lokaal voor zich uit zat te staren, maar dat kon hem niet schelen.

Zijn maag kromp ineen en de blaren op zijn bovenlip prikten. Hij probeerde er niet aan te krabben. Die blaren had hij al jaren. Soms verdwenen ze, maar dan kwamen ze ook weer terug. Hij was er een keer mee naar de dokter geweest, en die had hem verteld dat ze werden veroorzaakt door een virus en dat ze verergerden door stress en zonlicht. Ze had hem een tube zalf gegeven die hij er om de paar uur op moest smeren, en hem gewaarschuwd dat hij er niet aan mocht krabben omdat ze zich dan verder konden verspreiden. Als je dat virus eenmaal had, droeg je het de rest van je leven bij je, vertelde ze. Je kwam er nooit meer van af.

In die tijd, toen hij en zij veel jonger waren (en misschien veel gelukkiger), had hij twee tubes van die zalf gekocht en er de blaren elk halfuur mee ingesmeerd, niet om de vier uur zoals de dokter had voorgeschreven. Hij was heel bang geweest dat hij die blaren zou doorgeven aan Tshokolo, zijn Tshoki. Maar dat gebeurde niet, hij kreeg er de kans niet meer voor. Nu wenste hij dat dat wel was gebeurd. Die blaren verdiende ze. Hij voelde zich vernederd nu hij naar deze school was gestuurd waar hij duidelijk niet welkom en niet gewenst was. Hij zuchtte luid, en toen nog eens, nog luider. Hij wilde zo hard zuchten als hij zelf wilde, en zich niet stil hoeven houden voor een handjevol kinderen van tien jaar. Zijn hart deed pijn, maar hij sprak zichzelf ernstig toe vanwege de waanzin daarvan. Hij was niet verdrietig, hij was boos.

Hadden ze maar gezoend. Als ze gezoend hadden, was ze besmet met die blaren. Dan had hij een deel van zichzelf bij haar achtergelaten. Als ze hadden gezoend en hij haar met die blaren had geïnfecteerd, hadden ze tenminste iets gemeen, iets wat nooit meer uit hun lichaam zou gaan, iets wat 's nachts opnieuw zou verschijnen als ze om elkaar huilden.

Mohumagadi voelde zich een beetje opgelaten omdat de man haar had betrapt terwijl ze hem bespioneerde, maar ze hield zichzelf voor dat het heel redelijk was en volledig binnen de grenzen van haar verantwoordelijkheden lag dat zij actief onderzoek pleegde naar het verloop van zijn eerste sessie met die kinderen. Ze haastte zich direct achter Mlilo aan, die gelukkig niet had gezien dat zij door het raam naar de priester had staan kijken.

'Mlilo, wat doe jij op de gang? Jij moet toch in de nablijfklas van pater Bill zijn?' Ze wilde niet laten blijken dat ze hem had zien vertrekken.

'Molweni, Mohumagadi. Vergeef me, ik zag u niet. Anders zou ik zijn blijven staan en had ik u begroet.'

'Waarom loop je door de gang, Mlilo?'

'Mohumagadi, als ik me niet vergis hebben wij gisteren te horen gekregen dat de lessen bij pater Bill tot vijf uur duren. En nu is het al na vijven, Mohumagadi.'

'Waar zijn de andere kinderen dan, Mlilo?'

'Die zijn nog in het lokaal, Mohumagadi.'

'Waarom mocht jij dan wel weg en de anderen nog niet, Mlilo?'

'We mochten geen van allen weg, Mohumagadi.'

'Dus je bent gewoon vertrokken, terwijl het niet mocht?'

'Ja, Mohumagadi.' Hij sloeg zijn ogen neer.

'Ben je thuis zo opgevoed, Mlilo?'

'Nee, Mohumagadi.'

'Heb jij geleerd dat je je zo moest gedragen?'

'Nee, Mohumagadi.'

'Hoor je je op deze school onbehoorlijk te gedragen, Mlilo?'

'Nee, Mohumagadi, maar een blanke priester voor de klas hoort hier ook niet.'

'Mlilo Graham, als ik mezelf gisteren niet duidelijk heb gemaakt, laat ik dat dan nu alsnog doen. *Sa re kgoo! Selepe se remile lentsu la kgosi la kwagala Bokgalaka*! Pater Bill blijft hier net zolang als ik wil. Jij woont zijn nablijfklas net zolang bij als ik wil. Anders kun je van deze school vertrekken. Je gedraagt je respectvol tegenover pater Bill, je luistert naar wat hij te zeggen heeft en je loopt nooit meer de klas uit zonder dat je daar toestemming voor hebt.'

Mlilo verontschuldigde zich en bedankte haar omdat ze hem had uitgelegd waar hij over de schreef gegaan was. Ze wisten allebei dat hij dat niet meende, maar het alleen uit beleefdheid zei. Hij was een Afrikaans kind dat een Afrikaanse opvoeding had gehad, dus ze verwachtte ook geen westers toneelstukje van hem. Maar Mohumagadi wist ook dat als Mlilo had besloten dat hij pater Bill niet mocht, hij er wel voor zou zorgen dat de priester dat goed zou merken. Ze gaf hem toestemming om te vertrekken; hij legde zijn handen tegen elkaar als blijk van waardering, maakte een buiginkje en liep snel door de gang naar het voetbalveld. Ze keek weer naar de klas en zag de andere drie kinderen naar buiten komen. Ze bleven bij haar staan en begroetten haar. Ze vroeg hoe hun dag verlopen was, hoe het met hun gezondheid en die van hun ouders was, en raadde hen aan om naar huis te gaan en uit te rusten, om zich voor te bereiden op een nieuwe schooldag. Toen ze weg waren, keek ze weer naar het lokaal om te zien of de man ook naar buiten kwam. Dat deed hij niet. Misschien had ze tegen Mlilo moeten zeggen dat hij terug moest gaan om zijn verontschuldigingen aan te bieden, maar eigenlijk was ze wel blij dat de jongen het pater Bill zo lastig maakte. Dit was geen gewone school en dit waren geen gewone kinderen. En als hij dacht dat hij hier kon komen en de dienst kon uitmaken, dan vergiste hij zich. Ze keek weer naar zijn deur, maar er was nog steeds niets te zien. En ze voelde nog steeds niets. Hij moest zichzelf maar zien te redden.

13 maart

Lieve God,

Die kinderen op school zijn waardeloos.

Welterusten.

Bill

De volgende ochtend lag pater Bill in bed te kijken naar de zon die door de bruine gordijnen scheen die de huisbaas in zijn kamer had opgehangen. De zon was mooi, de gordijnen waren lelijk. Hij hoorde auto's voorbijrijden op de doorgaande weg naast het huis waar hij verbleef. Auto's, vrachtwagens, bussen, toeterende taxi's. Hij keek op de klok aan de muur, met de grote wijzer, de kleine wijzer en de dunne wijzer die heel snel ging. Hij snapte niet waarom er niet alleen maar digitale klokken bestonden, waarom ze het hem zo moeilijk maakten met die stomme analoge. Vroeger ergerde het hem dat hij niet kon klokkijken; op deze leeftijd kon hij het nog steeds niet, maar nu kon het hem niks meer schelen. Hij voelde op de grond naar zijn horloge. Een grote 5:30 keek hem aan. Het was nog veel te vroeg. Hij trok de deken over zijn hoofd en probeerde weer in slaap te vallen voordat het niet meer zou lukken. Maar het was al te laat. Hij lag met open ogen te luisteren.

Hij voelde zich rot over wat hij de vorige avond in zijn dagboek geschreven had. Hij gleed zacht uit bed, knipte het licht aan, viste zijn dagboek en een pen tussen zijn berg spullen vandaan en kraste door wat hij geschreven had. Hij was boos naar bed gegaan en dat was niet goed. Waarschijnlijk had hij daarom zo slecht geslapen. Waarschijnlijk was hij daarom nu al wakker. Het waren maar kinderen, zei hij tegen zichzelf. Ze kenden hem niet, dus ze kwamen alleen maar voor zichzelf op. Hij zou op hun leeftijd precies hetzelfde gedaan hebben. Hij probeerde zich te herinneren hoe hij als kind was, of hij toen ook zo gemeen tegen een onbekende zou zijn geweest. Maar alles wat zijn geest wist op te diepen waren beelden van haar; dat ze op haar handen liep, een handstand deed, door het gras rolde, lieveheersbeestjes verzamelde, door de regen rende, in plassen stampte, naar de maan lachte, onder de sterren danste, naast hem onder de wolken sliep.

De auto's reden, de vrachtwagens denderden, de bussen bromden en de taxi's toeterden in de verte terwijl pater Bill in bed lag te wachten tot hij kon opstaan. Ja, concludeerde hij weer, het waren maar kinderen. Als het zwaar was, dan deed hij gewoon niet goed genoeg zijn best. Hij zou het nog eens proberen. En deze keer zou hij het beter doen. Hij zou zich aankleden, ontbijten, en aan de huisbaas vragen of hij zijn auto mocht lenen. Dan zou hij vroeg op school zijn, als eerste op het podium zitten, en wakker zijn als de kinderen om drie uur bij hem kwamen. Hij zou ervoor zorgen dat het een succes werd.

Mohumagadi schrok vreselijk toen ze de aula binnen kwam en zag dat de man al op het podium zat.

Op dat tijdstip verwachtte ze daar nog niemand, laat staan hem. Het was nog nooit voorgekomen dat iemand van de staf hier eerder was dan zij en dat wilde ze graag zo houden. Ze vond het fijn om hier als eerste te zijn en de school langzaam getransformeerd te zien worden van een vredige rust in een levendige drukte. Ze vond het fijn om helemaal langs de tennisbanen en de voetbalvelden naar de *induli* te lopen, waar de vlag van de school en die van het land hoog en trots naast elkaar hingen, en waar de zon op dat tijdstip van de ochtend het helderst scheen.

'Goedemorgen, pater Bill,' zei Mohumagadi terwijl ze naar het podium liep waar ze haar aantekeningen klaar wilde leggen voor de toespraak van die ochtend.

'Goedemorgen, Mohumagadi,' zei hij met een brede lach. Hij stond op en kwam naar haar toe.

'De staf loopt hier altijd vanaf de galerij naartoe, pater Bill. U kunt beter daar wachten dan hier op het podium.' Voordat hij bij haar was, legde ze haar aantekeningen klaar, draaide zich snel om en liep haastig door het middenpad de aula uit.

Er was geen enkele reden waarom hij hier zo vroeg zou moeten zijn. Of had zij dat zelf voorgesteld? Ze kon het zich niet herinneren. Het irriteerde haar. Had die man dan niets anders te doen in zijn leven? Kon ze dan helemaal niet meer los van hem komen? Zelfs niet om zeven uur 's ochtends? Moest hij hier echt zo'n beetje vierentwintig uur per dag zijn? Mohumagadi haastte zich terug naar haar kantoor. Ze was die ochtend zo kalm en bedaard op school gekomen, maar nu ging het weer helemaal mis. Op haar kantoor pakte ze de telefoon en drukte op de 1. Ze had melk nodig.

Pater Bill keek op zijn horloge. Het was 14:50 uur. Hij moest naar de wc, maar hij wilde niet het lokaal uit zijn als de kinderen kwamen. Hij was om 14:30 ook al geweest, maar zijn blaas voelde alweer vol. Hij wist niet zeker of hij echt moest, of alleen bang was dat hij niet meer kon gaan als ze er eenmaal waren, want het was eigenlijk niet de bedoeling dat hij ze alleen liet. Niemand had tegen hem gezegd dat dat niet mocht, maar zoiets deed een goede leraar nu eenmaal niet en vandaag wilde hij een goede indruk maken. Als hij nu naar de wc ging en in de klas terugkwam als zij er al waren, zouden ze denken dat hij alweer te laat was. En dat wilde hij niet. De dag was tot nu toe zo goed verlopen en die wilde hij nu niet verpesten. Hij was zelfs tijdens de lunch naar de lerarenkamer gegaan en hoewel hij er niemand had gesproken omdat iedereen erg hard aan het werk was op hun laptops, was hij toch al een stap dichter bij het maken van nieuwe vrienden.

Opeens werd de deurknop omgedraaid. Hij ging staan en wachtte af terwijl de deur langzaam openging en er een klein hoofd met dreadlocks om de hoek verscheen. Het was Moya.

'Kom maar binnen, hoor,' zei hij enthousiast. Het toiletdilemma was hij helemaal vergeten.

'Sorry dat ik niet aanklopte,' zei ze zacht. 'Ik dacht dat u misschien weer in slaap was gevallen. Ik was eerder klaar bij Wereldgezondheid en Openbaar Beleid,' legde ze uit.

'Nee, dat hindert niets. Je kunt hier zo vroeg komen als je maar wilt,' zei hij vriendelijk.

Ze liep naar haar stoel, haalde haar boeken tevoorschijn en legde ze op het bureau, zette haar tas op de grond en ging achter haar stoel staan. Hij dacht eerst dat ze nog iets anders moest doen, maar toen drong het tot hem door dat ze wachtte tot hij zei dat ze mocht gaan zitten.

'Ga maar zitten, Moya, je hoeft in deze klas niet zo formeel te doen,' zei hij met een lach. Maar toen de ijzige woorden van Mlilo hem te binnen schoten, hoopte hij dat hij geen spijt zou krijgen van wat hij net had gezegd. Hij wilde er nog iets aan toevoegen maar hij zag dat ze meteen in haar schrift begon te krabbelen. Zijn gezicht betrok een beetje. Hij had gehoopt dat ze wat zouden kunnen praten, al was het maar heel even, tot de anderen kwamen. Hij had die dag nog amper iemand gesproken. Hij stond haar even aan te staren, maar ging toen weer zitten. Hij keek op zijn horloge. Het was 14:55. Hij zuchtte. Ze keek op, en hun ogen ontmoetten elkaar even. Hij lachte, maar ze sloeg haar ogen meteen neer en ging verder met haar werk.

'Wat ben je aan het doen?' vroeg hij.

'Mijn opdracht,' antwoordde ze zacht.

'O.'

Hij keek opnieuw op zijn horloge. Het was nog steeds 14:55.

'Voor welk vak?'

Ze keek hem aan en zweeg. Ze fronste verward haar dikke wenkbrauwen. 'Wij moesten in de nablijfklas toch aan onze opdracht werken? Sorry, ik dacht dat dat de bedoeling was.'

Toen hij merkte dat hij haar in verwarring bracht, zei pater Bill: 'Ja, nee, natuurlijk kun je daar nu aan werken. Ik was gewoon benieuwd. Ik vroeg me af wat je precies aan het doen was.'

'Nou, de opdracht voor deze klas, pater Bill. Die u ons gegeven hebt.' De frons op haar voorhoofd werd nog dieper.

Hij snapte er niets van. En zij keek alsof zij het ook niet snapte. Een opdracht die hij hun gegeven had?

'Maar ik heb jullie helemaal geen opdracht gegeven,' zei hij nadat hij er een tijdje over had nagedacht. Hij had geen huiswerk opgegeven. Dat wist hij heel zeker.

'Die opdracht hebben we per e-mail gekregen, op de dag dat wij met u hebben kennisgemaakt in het kantoor van Mohumagadi. Miss L. heeft het aan ons gemaild. Kijk.' Ze hield een pak aan elkaar geniete papieren omhoog. Hij stond op om te zien wat het was. Op de voorkant stond: 'Artikelen over zelfdiscipline, zelfbeheersing en zelfbewustzijn in de puberteit'. Onder de kop 'Lesstof week 1-6' stonden twee pagina's met vragen en daarna allerlei artikelen over onderwerpen als 'Aangeleerd gedrag, doen of niet doen?' tot 'Kiezen om te verliezen in plaats van kiezen om te winnen' en 'Seks in deze tijd'. Hij kon het bijna niet geloven. Het was een uitgebreid lesprogramma voor de komende zes weken.

'O, oké,' mompelde hij.

Ze keek naar hem op, duidelijk in verwarring, en verontschuldigde zich nogmaals. Ze dacht echt dat hij die opdracht had gegeven, zei ze.

'Maak je geen zorgen,' zei hij terwijl hij terugliep naar zijn stoel. 'Zolang we jullie groeiende hersens maar bezighouden.' Hij grinnikte zwakjes.

Op dat moment kwamen Ndudumo en Zulwini binnen. Mlilo was er niet. Ze gingen achter hun stoel staan. Moya ging ook weer staan en met zijn drieën begroetten ze hem in koor. Hij zei dat ze weer moesten gaan zitten en niet zo officieel hoefden te doen.

'Jongens, weten jullie waar Mlilo is?' vroeg hij.

Ze gaven geen van drieën antwoord. Hij keek naar Zulwini, maar die keek hem alleen maar aan met een gezicht waar diepe smart van af te lezen was. Na een tijd antwoordde Ndudumo: 'Hij zei dat hij niet meer naar deze klas gaat. In de pauze heeft hij iedereen verteld dat hij gisteren de opdracht waar we zes weken over moesten doen heeft afgemaakt en dat hij die hele nablijfklas belachelijk vindt.'

'Juist. En vinden jullie dat ook?' vroeg hij, zonder enig idee wat voor antwoord hij moest verwachten en wat hij met hun reactie aan moest.

Moya sloeg haar ogen neer. Zulwini schudde heftig zijn hoofd. Ndudumo zweeg.

'Is dat zo, jongens? Is het belachelijk? vroeg hij opnieuw.

'Ja. Ja, dat is zo,' zei Ndudumo.

'Nou, daar moeten we dan maar iets aan gaan doen.' Hij hoopte dat ze niet aan hem zouden vragen wat hij precies van plan was. 'Maar gaan jullie eerst maar eens verder met jullie opdracht.' En dat deden ze.

Toen pater Bill weer in zijn stoel zat, zag hij dat Mohumagadi bij het raam naar hen stond te kijken.

Hij ving haar blik, waarop ze snel wegkeek en haastig doorliep. Hij stond op, liep de klas uit en ging achter haar aan. Ze beende door de gang, maar hij riep haar naam. Ze bleef abrupt staan.

'Pater Bill, hier op school wordt niet geschreeuwd,' zei ze kil voordat hij iets kon zeggen.

'Het spijt me. Ik wilde alleen maar uw aandacht trekken voordat u de hoek om was.' Hij was buiten adem en had nu al spijt van zijn impulsieve actie. Hij wist niet eens wat hij tegen haar wilde zeggen.

'Ik heb begrepen dat de kinderen een opdracht hebben gekregen waar ze de komende zes weken aan moeten werken,' zei hij zacht.

'Ja, wist u dat niet?'

'Nee, daar is mij niets van verteld.'

'Of misschien herinnert u het zich niet, pater Bill. Het is u medegedeeld toen u hier de eerste keer was.'

'Daar gaat het niet om, Mohumagadi, ik bedoel vooral dat het fijn geweest zou zijn als ik er ook iets over te zeggen had gehad.'

'O, dat spijt me, pater Bill. We dachten dat u niet in zulke details geïnteresseerd zou zijn. Het is vreselijk saai om zoiets op te stellen. Je moet alle literatuur over dat onderwerp doorspitten, geschikte artikelen zoeken, opdrachten bedenken waaraan je kunt zien of de leerlingen de verschillende teksten goed hebben verwerkt. Verschrikkelijk veel werk, en we weten dat u zelf ook veel...' ze zweeg even '... dingen te verwerken hebt, dus we wilden u er niet mee lastigvallen.'

Hij voelde dat het bloed hem naar het hoofd steeg en hij wist zeker dat er ter plekke een paar nieuwe blaren uit zijn lippen tevoorschijn kwamen.

Het duizelde hem. Wat bedoelde ze met 'we weten dat u zelf ook veel dingen te verwerken hebt'? En wie waren 'wij'? De volledige staf?

'Ik zou er toch graag bij betrokken zijn geweest,' stamelde hij.

'Alles is al klaar,' zei ze, met een nuchter schouderophalen. 'We doen op deze school aan tijdige voorbereiding, pater Bill. *Leputlaputla le ja pudi, modikologa o ja namane*. Als u het zo interessant vindt, had u lang voor uw komst contact met ons moeten opnemen.'

Hij wist dat hij het hier maar beter bij kon laten. Ze had gelijk, het was dom van hem om te denken dat ze hem erbij zouden willen betrekken. Hij wist niet eens dat hij erbij betrokken had willen zijn tot hij dat zelf zei. Hij bedankte haar voor haar tijd en maakte nogmaals zijn verontschuldigingen voor het geroep en geren op de gang. Daarna ging hij terug naar zijn klas.

Hij verwachtte niet anders dan dat de kinderen zouden zitten te kletsen als hij terugkwam en dat hij streng zou moeten optreden. Daar was hij niet erg goed in, maar hij kreeg niet eens de gelegenheid om het te proberen omdat ze zwijgend aan hun tafeltje zaten. Zulwini las de Bijbel, Ndudumo een modetijdschrift en Moya zo te zien een roman.

'Ik zie dat jullie de opdracht voor vandaag al af hebben?'

'Ja, pater Bill,' zeiden ze in koor.

'Mooi. Zullen we dan iets leuks gaan doen?'

Ze begonnen te lachen, alle drie, schudden hun hoofd en zeiden dat ze daar problemen mee zouden krijgen. En lazen verder. Daarop ging hij maar weer aan zijn bureau zitten, leunde met zijn kin op zijn handen en wachtte tot het vijf uur was.

Mohumagadi zag dat Mlilo aan het voetballen was met de jongens van de zevende klas. Ze schudde haar hoofd. Dit viel te verwachten. Mlilo vond zichzelf een stuk ouder en groter dan hij werkelijk was.

'Mlilo Graham, laat die bal liggen en kom ogenblikkelijk hier.' Mohumagadi deed haar best om niet te schreeuwen. Schreeuwen was geen teken van overwicht.

Mlilo kwam aanrennen. De andere jongens hielden ook op met voetballen en kwamen naar haar toe om haar te begroeten. Ze wuifde ze weg. 'Nee, nee. Gaan jullie maar door met voetballen. Ik hoef alleen deze jongen te spreken.'

Toen hij bijna bij haar was, en hij haar kon verstaan als ze niet haar stem verhief, begon ze. 'Pak je spullen en ga mee. En zorg dat je me bijhoudt, want ik heb al genoeg tijd aan je verspild.' Ze draaide zich snel om en liep terug naar het schoolgebouw.

'Waarom ben jij op het voetbalveld terwijl je in de nablijfklas behoort te zitten?' Ze keek niet om. Mlilo probeerde haar bij te houden en tegelijk zijn voetbalschoenen te verruilen voor zijn schooluniformschoenen.

'Goedemiddag, Mohumagadi. Hoe gaat het vandaag met u, Mohumagadi?' vroeg hij buiten adem.

'Daag me niet uit, Mlilo. Waarom zit je niet in de klas?'

'Ik heb mijn opdracht af, Mohumagadi,' antwoordde hij.

Mohumagadi bleef staan.

'Zes weken werk, Mlilo?' Ze kon niet geloven dat dat joch zo brutaal was, maar ook niet dat hij loog, dat hij dat zou durven, dat hij daar het lef voor had.

'Ja, Mohumagadi.'

'Wanneer heb je dat gedaan?'

'Gisteravond, Mohumagadi.'

'Waarom, Mlilo?' Ze was niet eens boos meer. Alleen geërgerd. Dat kind weigerde om mee te werken. 'Waarom, Mlilo?' vroeg ze opnieuw. Hij wilde haar niet aankijken, dus ze pakte hem bij zijn kin, draaide zijn hoofd naar zich toe en vroeg het hem opnieuw. 'Kijk me aan als ik tegen je praat, Mlilo. Waarom wil je per se zo moeilijk doen? Waarom kun je je niet gedragen als een normaal kind en je werk doen zoals het hoort? Op wie probeer je nu indruk te maken? Denk je soms dat jij de enige bent die die opdracht in een dag af kan hebben, Mlilo? Denk je dat je zo slim bent? Bo Moya, Zulwini en Ndudumo zouden dat ook best kunnen, maar die werken tenminste zoals het de bedoeling is. Vind jij jezelf zo bijzonder, Mlilo? Vind jij dit gedrag nu zo bewonderenswaardig?'

Hij zweeg, zijn gezicht betrok en hij keek naar de grond. Ze zag dat de tranen hem in de ogen sprongen. 'Ik haat hem,' zei hij zacht.

'Haat is een domme emotie, Mlilo,' zei ze. Ze liet zijn gezicht los en liep door, met een zwaar gevoel. Toen bleef ze staan, want ze realiseerde zich dat ze nog niet klaar met hem was. '*Motšhaba-pula o tšhabela matlorotlorong.* Je gaat die opdracht opnieuw maken, Mlilo. Alle onderdelen, een voor een, in de volgorde waarin je ze moet doen. Elke dag, elke week. En vanaf morgen zit jij weer in die nablijfklas: dan ben je de eerste die komt en de laatste die vertrekt.'

Hij zei geen woord terwijl ze terugliep naar de school. Maar ze wist dat hij haar had gehoord. Ze vond het vreselijk dat ze zo streng tegen hem moest zijn, maar ze kon niet anders. Waarom had hij zich in vredesnaam zo in de nesten gewerkt? Het was eigenlijk niets voor hem. Ze was stiekem altijd zo trots op die jongen geweest. Hij was het toonbeeld van wat de school probeerde te bereiken. Zijn werkhouding en zijn onverminderde vastberadenheid om alles waaraan hij begon tot een succes te maken, deed Mohumagadi stralen als een moeder die haar kind adoreert. Maar dat hij zich inliet met types als Ndudumo, en dat ze achter in de schoolbus naar elkaars genitaliën zaten te loeren? Mohumagadi begreep er niets van en was heel erg teleurgesteld in Mlilo. Ze wilde tegen hem zeggen dat als hij zich behoorlijk had gedragen hij helemaal niet naar die nablijfklas van pater Bill had gehoeven. Dan zou pater Bill zelfs niet eens hier op school hoeven zijn. Hij had het zichzelf allemaal aangedaan en hij kon het alleen zichzelf kwalijk nemen.

Mohumagadi schreeuwde het uit zodra ze buiten gehoorsafstand was. En ze probeerde haar ademhaling onder controle te krijgen. Haar hart bonsde in haar oren. Ja, zij hield zelf ook niet zo van blanken. Maar Mlilo? Zijn eigen vader was blank. En Mlilo kende Bill niet eens. Ze schudde haar hoofd en schreeuwde nog eens in het niets.

'*Another day, another dollar*,' zei pater Bill tegen zichzelf toen hij de deur van het klaslokaal achter zich dichtdeed. Hij lachte. Hij wist eigenlijk niet waar die woorden vandaan kwamen, laat staan wat ermee werd bedoeld. Tot hem te binnen schoot dat het uit een rapnummer kwam dat hij die ochtend uit de kamer van de zoon van zijn huisbaas had horen klinken. 'Another day, another dollar'. Waarschijnlijk was dat ergens in zijn achterhoofd blijven hangen. 'Another day, another dollar,' zei hij weer, en hij voelde zich een beetje dronken. Hij lachte hardop. Er was niets om vrolijk over te zijn en het beste wat hij kon verzinnen was 'Another day, another dollar'.

Toen hij door de gang liep zag hij iemand voor zich uit lopen. Het was Mohumagadi. Hij liep onhoorbaar achter haar aan want hij wilde niet dat ze hem opmerkte. Hij keek naar hoe ze liep. Lange passen, en een rechte rug. Als een pauw. Een kleurig zomerdek, pirouettes draaiend. Ze was nog net zo mooi als toen. Angstaanjagender, maar wel net zo mooi.

'Pater Bill?' zei ze toen hij dichterbij kwam. Ze hield haar hand boven haar ogen tegen de lage namiddagzon die in haar ogen scheen waardoor ze hem haast niet kon zien.

'Sorry, ik wilde u niet aan het schrikken maken,' loog hij.

'Me in mijn eigen school aan het schrikken maken? Toe, zeg. Wat doet u hier trouwens nog zo laat?'

'Is het dan al laat? Dat had ik niet gemerkt.' Dat was echt zo. 'Niet dat ik haast heb.'

Ze fronste haar wenkbrauwen toen hij dat zei. Draaide zich om en liep door. 'Nou, goedenavond dan, pater Bill. Tot morgen.'

'Mohumagadi, wacht even,' riep hij.

Ze draaide zich aarzelend om. 'Pater Bill, als u denkt...'

Maar hij wilde alleen maar de brief van Ndudumo's moeder.

'Welke brief?' snauwde ze. Hij zag dat hij haar in verlegenheid had gebracht en dat vond hij vervelend. Maar wat had ze eigenlijk verwacht dat hij zou gaan zeggen?

'Die u laatst in uw kantoor aan haar hebt voorgelezen.'

'O, die. Ja, kom die morgenochtend maar even halen in mijn kantoor. Als ik hem nog heb.' Ze liep door en maakte een nonchalant, wegwuivend gebaar.

'Dank u, Mohumagadi, en een prettige avond.' Maar net toen hij de parkeerplaats op wilde lopen, hoorde hij dat ze weer bleef staan, dus deed hij dat ook.

'Waarom, pater Bill?'

'Wat?' Zijn hartslag versnelde.

'Waarom wilt u die brief?'

'O. Omdat ik denk dat zij hem graag wil hebben.'

'Als dat zo was had ze het me wel gevraagd, pater Bill.'

'Ja, Mohumagadi,' was het enige antwoord dat hij kon bedenken.

Ze keek hem wat langer aan. Schudde haar hoofd, en zei: 'Kom die brief morgenochtend dan maar halen.' En liep door.

Toen hij in de auto van zijn huisbaas stapte vroeg hij zich opnieuw af hoe hij hier terechtgekomen was. Hoe zij hier terechtgekomen waren. Hoe die vijftien jaar zo snel omgevlogen konden zijn. Hij herinnerde zich nog levendig de dag dat de paters hem zijn koffers hadden laten pakken. Hij had wanhopig naar zijn armbandje met de letters W.W.J.D. gekeken, dat hij al zijn hele leven droeg maar tot dan toe nog nooit nodig had gehad. *What would Jesus do*? Wat had hij aan die vraag? Jezus had nooit een vriendin gehad.

Dat was in een periode in het land waarin de mensen feestvierden, een periode die het begin was van iets nieuws, iets prachtigs, iets waarachtigs. Maar voor hem was het een einde, een einde in plaats van een nieuw begin. Hoe ironisch dat toen anderen samenkwamen, zij juist uit elkaar gehaald werden.

Hij herinnerde zich dat hij toen voor de eerste keer in zijn leven weg was uit Mamelodi, weg van de kerk, weg van haar. Ze mochten niet meer met elkaar praten. Zij werd naar haar kamer gestuurd op de bediendeafdeling, en de mama's kregen opdracht haar daar te houden. Hij kreeg opdracht om zijn spullen te pakken. Hij herinnerde zich dat hij de met stof bedekte koffer van zijn overleden ouders van de kast haalde, en zag dat het stof onder zijn tranen in modder veranderde. Hij wist dat er een tijd zou komen dat hij dit zou vergeten en zou ophouden met huilen. Mensen zeiden later tegen hem dat als je zoveel verdriet hebt, je het gevoel krijgt dat je nooit meer de oude wordt, maar dat dat na verloop van tijd toch gebeurt. Dat je op een dag weer kunt lachen. Dat wist hij best. Maar dat was precies waar hij het bangst voor was. Hij wilde helemaal niet dat het beter ging. Hij wilde niet vergeten hoe het was om bij haar te zijn, om zijn hoofd op haar schoot te leggen, haar hand te ruiken, zijn hart tegen haar schouder te laten rusten. Hij wilde niet vergeten waarom hij, een volwassen man, een man van God, moest huilen als een kleine jongen omdat ze van elkaar werden gescheiden.

Toen hij de plek verliet waar hij was opgegroeid zei hij tegen zichzelf dat hij elke dag zou huilen, al moest hij zichzelf ertoe dwingen; hij zou huilen om wat ze hadden, om wat ooit nieuw, mooi en echt was geweest en nu verloren was gegaan. Maar dat duurde natuurlijk maar een week of twee. Hij was jong en er waren vrouwen genoeg. En natuurlijk vergat hij het en kon hij weer lachen. Natuurlijk werd het beter, zoals hij had gevreesd. Dat was nu eenmaal het leven, toch? Naïeve, domme liefde als je jong bent, en daarna een paar verwikkelingen om je de rest van de tijd mee bezig te houden. Alleen in de film wachtten ze hun hele leven op elkaar. Hij had niet gedacht dat hij haar ooit terug zou zien. En hoe klein was de kans daarop geweest na vijftien jaar? Daarom had hij ook nooit iets aan al die intense emoties en verlangens gedaan. Waarschijnlijk zou hij haar toch nooit meer terugzien. En toch was ze vijftien jaar later teruggekomen in zijn leven, net zo mooi als vroeger. Hij lachte. En nu was het te laat. 'Another day, another dollar'.

Toen Mohumagadi instapte en pater Bill zag wegrijden, moest ze denken aan de woorden van mama Twiggy van de kerk uit haar jeugd. Mohumagadi deed elke maand boodschappen voor bo mama Twiggy, tot zij en de anderen waren overleden. De priesters waren allang vertrokken, maar de vrouwen bleven. Ze hielden meer van die kerk dan van de God voor Wie de kerk gebouwd was. Ze dacht terug aan mama Twiggy en meteen liepen de koude rillingen haar over de rug. Mama Twiggy was anders dan de anderen, ze was altijd erg op zichzelf, smeerde nooit jam op haar brood. Ze zei dat ze niets wilde eten waarvan ze nooit het voorrecht zou hebben om eraan te wennen.

Mama Twiggy was degene die een arm om haar schouder sloeg toen alle vrouwen naar de gebedsbijeenkomsten waren op de Vista University voor de komende verkiezingen, terwijl Mohumagadi huilend uit het raam keek, en wachtte tot Bill terugkwam. Na het eten zat ze altijd in de vensterbank van de eetzaal te wachten om te zien of Bill die avond misschien thuis zou komen, en hoopte en bad dat hij over de oprijlaan aan zou komen lopen.

Op een avond was ze daar in slaap gevallen, met haar voorhoofd tegen het raam gedrukt, ze zweefde in de lichte slaap waaraan ze gewend was geraakt, met wangen waarvan de huid uitgedroogd en gebarsten was door het vele huilen. Mama Twiggy wreef soms in het voorbijgaan alleen maar even over haar rug met haar knokige hand, maar die avond fluisterde ze in haar oor: 'Je bewijst jezelf geen dienst, mijn kind, door op zulke jongens verliefd te worden. Al die christelijke jongens, die zullen nooit zoveel van jou houden als van hun God en hun kerk, en hoe kun je daar ooit mee concurreren? Tegen God maak je toch geen enkele kans? Ze zetten je al aan de kant voor een Bijbelklas. En, erger nog, ze sterven jong, ze sterven vaak jong, dat is gewoon zo. Alleen wij, egoïstische, chagrijnige, hebzuchtige, onreine mensen leiden een lang, ellendig leven. Ze zijn hier maar even, net als een mooie zonsondergang, en dan zijn ze weg, alsof ze er nooit geweest zijn, en dan blijf je alleen achter met de pijnlijke herinnering aan hun bestaan. En daar kun je dan helemaal niets aan doen.'

Nou, God mocht hem hebben, dacht Mohumagadi, terwijl ze de motor startte en naar huis reed.

14 maart

Lieve God,

De avonden zijn zwaar. Ik denk omdat het dan tot je doordringt dat het voorbij is en dat het zo zal eindigen. Er is niets wat je kunt doen, niets wat er kan gebeuren tussen nu en de dageraad. Je realiseert je dat je dom bent geweest om te hopen, en dat het leven heeft bewezen dat jij fout zat met je dromen, alweer.

Welterusten, God.

Bill

'Hallo, Mlilo.' Pater Bill was verbaasd toen de jongen opeens in de deuropening van de klas stond. Omdat hij de vorige dag niet was komen opdagen, had pater Bill niet verwacht dat hij hier vandaag als eerste zou zijn. 'We hebben je gisteren gemist,' zei hij vriendelijk terwijl hij opstond en naar hem toe liep. Misschien was dit wel de kans om het ijs tussen hen te breken. Maar Mlilo stond hem alleen maar aan te kijken.

Na een tijdje vroeg hij: 'Mag ik alstublieft gaan zitten?'

'Ja, natuurlijk, natuurlijk. Ga zitten, Mlilo.' Het drong tot hem door dat hij in de weg stond en dat de jongen er niet langs kon. 'Was je eerder klaar vandaag? Je bent zo vroeg.'

'Niet uit vrije wil,' mompelde de jongen.

Pater Bill lachte, maar de jongen lachte niet mee. 'Nou...' zei hij, zonder enig idee waar hij het nu met hem over moest hebben.

De jongen keek hem met een ijskoude gezichtsuitdrukking aan.

'Waar kom je vandaan, Mlilo? Je spreekt prachtig Engels. De andere kinderen trouwens ook.'

'Fuck off.'

Wat? Pater Bill was volslagen overrompeld. Wat gebeurde er nu? Wat was er aan de hand? 'Pardon?' Nog nooit had iemand zulke taal tegen hem uitgeslagen, en een kind al helemaal niet.

'Fuck off,' zei de jongen weer, maar nu veel trager en nadrukkelijker.

'Sorry, Mlilo, maar heb ik je soms ergens mee beledigd?' vroeg pater Bill verbijsterd.

'Waar komt ú vandaan? Wat doet u hier? Hebt u dan helemaal niet in de gaten dat u hier niet welkom bent?' Het gezicht van de jongen droop van haat en verontwaardiging.

'Ik weet niet waarmee ik je beledigd kan hebben, Mlilo,' antwoordde pater Bill zacht, 'maar wat het ook is, het rechtvaardigt dit gedrag van jou niet. Als je me nu even wilt excuseren, ik moet even een luchtje scheppen.'

Pater Bill liep naar buiten. Zijn hart bonsde in zijn oren. Fuck off? Hij vond het al moeilijk om die woorden alleen maar te denken. Hij zag dat de drie andere kinderen naar het lokaal liepen en begroette ze door zijn hand op te steken toen ze dichterbij kwamen.

'Gaat het wel, pater?' vroeg Zulwini bezorgd.

'Ja hoor.' Hij knikte en zei dat ze naar binnen konden gaan.

'Dus je bent er weer, slimbo,' zei Ndudumo tegen Mlilo toen ze de klas binnen kwam en Mlilo zag zitten.

'Dag pater Bill,' zei Moya toen ze langs hem liep.

Pater Bill stak zijn hoofd om de deur en probeerde te glimlachen. 'Gaan jullie maar door met je opdracht, ik kom zo terug.'

Hij liep zo snel hij kon. Door de gangen, langs de Khoi Khoi-tuinen, langs de deur van de sportzaal waar 'Shaka de Grote' op stond, naar de groentetuintjes van de eerste klas en naar de schaduw waarin de marathonlopers trainden, daarheen liep hij. Hij liet zich op zijn knieën vallen, raapte een steen op en gooide die naar God. Voordat hij nog meer kon doen of laten, hoorde hij gezang achter zich. Het kwam van een groepje eersteklassers met rubberlaarzen aan, hand in hand, en gewapend met spaden en pakjes zaad.

'Molweni, pater Bill. Molo, pater Bill. Wij gaan vandaag groenten zaaien,' zongen de kinderstemmetjes.

'Ssst, stil zijn, kinderen. Pater Bill is aan het bidden,' zei de juf op een warme, hartelijke toon.

'Nee, ik ben al klaar. Wat gaan jullie zaaien?' Hij stond op. Hij voelde zich vreselijk opgelaten.

'Uien, erwten en bietjes,' riepen ze.

'En die van mij worden het grootst!' zei een klein meisje vol zelfvertrouwen.

'Nou, dan zal ik jullie niet langer ophouden,' zei pater Bill joviaal. Hij probeerde niet te laten merken hoe gekweld hij zich voelde toen de rij kinderen hem passeerde.

Toen hij terugkwam in de klas, was het stil. Alle vier de kinderen werkten aan hun opdracht en keken op toen hij binnenkwam, behalve Mlilo. Ze keken naar zijn broek, en pas toen zag hij dat er modder op de knieën zat.

Zulwini stak zijn ene duim omhoog en zijn andere omlaag en keek hem vragend aan.

Pater Bill lachte leugenachtig en stak zijn duim op.

De opluchting gleed over Zulwini's gezicht, hij stak enthousiast zijn duim omhoog naar pater Bill en werkte door.

Pater Bill probeerde weer achter zijn bureau te gaan zitten. Misschien moest hij zich ergens op concentreren, misschien zou zijn woede dan afzwakken. Hij was helemaal niet iemand die snel boos werd. En hij gaf zich ook niet snel over aan vijandigheid. Maar uitgescholden worden door een kind was meer dan hij kon verdragen, dus toen het bloed weer in zijn oren bonsde liep hij opnieuw de klas uit. Deze keer in tegenovergestelde richting, de gang op, weg van het groene gras en die vrolijke eersteklassertjes.

De deur van de lerarenkamer stond open en hij hoorde gelach. Hij liep naar binnen. Op de bank zaten de twee sportcoaches van de school. Hij herkende ze allebei van de televisie. Zola Mbambe, voormalig aanvoerdster van het Zuid-Afrikaanse squashteam, en Vuyo Mkhize, aanvoerder van het nationale jeugdbasketbalteam. Ze leken in een hevig debat verwikkeld. Hij verwachtte niet dat ze wisten wie hij was, dus hij groette ze zacht en liep naar de ijsmachine.

'O, hallo, pater Bill,' zei het meisje opgewekt.

Haar vriendelijkheid verbaasde hem, want hij was eraan gewend geraakt op deze school genegeerd te worden. Hij vulde een bekertje met ijs. Op de koffietafel lagen broodjes, muffins en croissants. Hij nam iets van de schaal waar hij het dichtstbij stond en ging aan de andere kant van de kamer zitten.

'Wat eet u daar, pater Bill?' vroeg de jonge man.

'Een broodje,' zei hij kortaf.

'Ik had net ook zo'n broodje ei, die zijn heel lekker,' zei het meisje. Ze lachte naar hem.

'Ik hou niet van ei,' antwoordde hij.

'Maar u hebt er toch ook een met ei?' vroeg ze verbaasd.

'O, dat kan wel, ik heb niet gekeken.'

De twee coaches keken elkaar verbluft aan en keken daarna weer naar hem. Het kon hem niet schelen.

'Zeg, pater Bill,' probeerde de jonge man nog eens, 'wat vindt u nou van die discussie over de vraag of we er als mensheid op vooruitgaan? Vindt u dat we beter worden in het leven? Dat we als soort volwassener worden?'

'Ik denk niet dat ik nog zal meemaken dat er een einde komt aan het lijden en aan allerlei ellende. Volgens mij is dat gewoon flauwekul. Ik geloof niet dat dat ooit zal gebeuren. We vinden steeds nieuwe manieren om kwaad te doen, de ene generatie is daar nog beter in dan de andere. Als we een oorlog beëindigen, beginnen we weer een nieuwe. We redden onze kinderen van de hongerdood, maar dan vermoorden we ze met overgewicht. Behoorlijk stompzinnig allemaal. Het is alleen maar dom om je met dat soort dingen bezig te houden. Je kunt beter gewoon leven. De Mandela's en de Moeder Theresa's bereiken alleen iets zolang ze leven en daarna worden ze alleen nog herinnerd zolang er geld kan worden verdiend aan hun naam. Het is idioot om te denken dat er ooit geen armoede, geen oorlog, geen honger en geen geweld meer zal zijn. En dan komen er altijd wel weer andere dingen die even slecht zijn. Liefhebben is falen. Het is zwak, het is zielig en armoedig. Je kunt beter anderen kwetsen. Mensen die anderen pijn doen zijn de sterken, zij overleven. Volgens mij is deze wereld niet bedoeld voor eerlijkheid. Dat is valse hoop. Een leugen. Woorden zijn betekenisloos, lachende gezichten zijn geprogrammeerd, ogen zijn leeg. Er zijn zoveel mensen, je wordt erdoor omringd, maar er is geen oor om naar je te luisteren, geen hand om de jouwe vast te houden, geen hart om je te begrijpen, geen ziel om met de jouwe te dansen. Je kunt het je hier op aarde beter zo gemakkelijk mogelijk maken, misschien een paar mensen zoeken die jou begrijpen. De rest is alleen maar filosofische bullshit.'

Pater Bill verbaasde zich over zijn heftige woorden. 'Bullshit'. Kwam dat woord wel in zijn woordenboek voor? Het was heel gemakkelijk van zijn tong gerold, alsof hij het altijd al had gebruikt. Dus hij zei het nog een keer. 'Bullshit.'

'Ja, u hebt gelijk, het is inderdaad bullshit!' riep de jongen uit. Hij sprong enthousiast op van de bank waarop hij met het meisje zat. 'Dat probeer ik uZola dus ook al de hele middag te vertellen. Ze zeggen steeds maar dat ze het beste met ons voorhebben, dat ze ons willen helpen. Helpen met onze verkiezingen, met de buitenlandse handel, met voedselpakketten. Maar ze willen gewoon de baas spelen, ze chanteren ons met hun geld, ze helpen alleen zolang ze iets aan ons hebben. Nooit zal er een tijd aanbreken waarop er geen lijden en geen ellende zal zijn. Het Westen heeft al te veel schade aangericht en wij zijn te beschadigd, te kwaad, we zijn het allemaal veel te zat om nog geboeid te kunnen worden door zulk soft geklets over geluk. Kijk alleen maar naar u, pater Bill, u bent zelf toch ook behoorlijk in de war, en dat verdomme nog wel voor een priester.'

De jongen begon schor te lachen. Het meisje deed mee, en pater Bill ook. Hij had geen idee wat die jongen bedoelde, hij had niet eens begrepen wat hij zei, en ook niet wat hij zelf had gezegd, maar hij gooide zijn hoofd achterover en gierde het uit van het lachen. Maar dat lachen deed hem pijn, het prikte achter zijn ogen, het bonkte in zijn hoofd, maakte het bekertje ijs in zijn handen warm, keerde zijn maag om, verkrampte zijn voeten.

Mohumagadi wist dat het idioot was, ze snapte het zelf niet eens. Steeds als ze het deed gaf ze zichzelf een uitbrander, terwijl ze het zelf nauwelijks in de gaten had tot ze al halverwege zijn klaslokaal was. Elke dag rond halfvier 's middags stond ze op en liep ze naar de klas van pater Bill. De eerste dag kon ze dat nog wel verdedigen: hij was nieuw, dus het was heel begrijpelijk dat ze even poolshoogte ging nemen. Niet alleen begrijpelijk, maar zelfs wenselijk. De volgende dag zei ze tegen zichzelf dat het pas zijn tweede dag was, en de dag daarna pas zijn derde...

Toen ze vlak bij zijn lokaal was, zag ze dat de deur openstond en liep ze haastig door de gang. Ze vertraagde haar pas toen ze hoorde dat het in de klas volkomen stil was en bleef voor het raam staan. De vier kinderen waren aan het werk, maar ze zag pater Bill niet achter zijn bureau zitten. Misschien was hij ergens anders in het lokaal, dacht ze, of bij de kapstok, maar die kon ze hiervandaan niet zien. Ze stak haar hoofd om de hoek van de deur en werd onmiddellijk gezien door Moya, die ging staan. Toen de andere drie kinderen zagen waarom Moya opstond, volgden ze haar voorbeeld, en gevieren begroetten ze Mohumagadi.

'Ja, ja, molweni, molweni, ga alsjeblieft zitten. Waar is pater Bill?' vroeg ze ongeduldig.

Zulwini liep naar haar toe. 'Hij is gewoon weggegaan, Mohumagadi,' fluisterde Zulwini. 'Hij heeft niet gezegd waarheen. Volgens mij was hij een beetje in de war.' Mohumagadi keek meteen naar Mlilo, maar de jongen keek niet op; hij werkte door alsof hij niet had gehoord wat er aan de hand was. Ze wist zeker dat dit iets met hem te maken moest hebben, maar omdat ze geen aanleiding had om hem erop aan te spreken, zei ze dat ze door moesten werken en dat pater Bill straks wel weer terug zou komen. Ze had het nog niet gezegd of de man kwam aan met een bekertje ijsblokjes en een bord met gebak.

'Doet u met ons mee, Mohumagadi?' vroeg pater Bill met een lach. Zulwini begon te giechelen.

Mohumagadi bekeek de pater nauwkeurig. Er zat zand op de knieën van zijn broek, maar verder was er niets waaruit ze kon afleiden waar hij mee bezig was. 'Ik kwam toevallig langs en ik zag dat de deur openstond, pater Bill, dus ik vroeg me af of er iets aan de hand was.' Mohumagadi deed haar uiterste best om heel kalm te klinken.

'O nee hoor, Mohumagadi, alles is prima.' Hij zette het bekertje en het bord neer en stak twee duimen op, waarop Zulwini hysterisch begon te giechelen.

Mohumagadi ergerde zich meteen aan alle opwinding. Ze wist niet wat er speelde, maar het beviel haar in het geheel niet. 'Nou, als alles in orde is, dan...'

'Ja, alles is prima,' zei hij, terwijl hij met haar naar de deur liep.

Ik ben nog niet klaar, riep ze in gedachten. Ze haalde diep adem en keek het lokaal in op zoek naar een of ander bewijs. Maar er was niets bijzonders. De kinderen zaten haar allemaal aan te staren. Pater Bill stond te glimlachen. Dat beviel haar niet, maar ze knikte en liep de deur uit, terug naar haar kantoor. Ze wist niet wat zich in die klas afspeelde, maar ze werd er heel onrustig van. Waarom liep pater Bill opeens het lokaal binnen met een bord gebak? Had hij niet nog maar een of twee uur geleden geluncht? Mohumagadi ging met een zucht weer achter haar bureau zitten. Het zat haar niet lekker, het zat haar helemaal niet lekker.

'Boeken dicht, alsjeblieft,' zei pater Bill terwijl hij het bord en het bekertje neerzette en vervolgens op de tafel klom. Daar was geen reden voor. Het was een klein lokaal, met weinig kinderen. Maar toch had hij er zin in. Het kwam gewoon in hem op, en daarom deed hij het. Hij lachte toen hij zag dat ze grote ogen opzetten. 'Jullie hoeven niet te doen alsof jullie zo verdiept zijn in je opdracht, want ik weet best dat die heel oninteressant is, en jullie kunnen hem vast gemakkelijk af krijgen. Dus doe je boeken dicht en let op.

Ik heet William Thomas. Ik ben priester, dus iedereen noemt me pater Bill. Ik ben naar deze school gestuurd omdat ik seks heb gehad met een vrouw met wie ik niet getrouwd was, die ik niet kende en ook niet wilde kennen, in de keuken van de kerk waar ik een dienst had geleid. Ik heb begrepen dat jullie een speciaal geval zijn op deze school, dus ik neem aan dat ik openlijk kan spreken en dat jullie er niet van schrikken. Ik had geen reden om te doen wat ik heb gedaan. Het was onbegrijpelijk, ik snapte het zelf ook niet. Ik voelde me achteraf verschrikkelijk, maar dat verandert niets aan de zaak. Ik heb zoiets namelijk al eerder gedaan, en ik voel me nadien altijd verschrikkelijk. Misschien zit het in mijn bloed en kan ik het niet beheersen. Maar daarom ben ik hier. De bisschop dacht dat ik er maar eens goed over moest nadenken.'

Nu keek hij Mlilo aan. 'Jij wilde weten waar ik vandaan kwam. Nu weet je het. En nu ga jij op tafel staan en vertel jij wie je bent en waar je vandaan komt.' Pater Bill klom van de tafel.

Het bleef stil in het lokaal. Iedereen wachtte af wat Mlilo zou doen.

Pater Bill keek naar de jongen toen hij aarzelend op zijn tafel klom. Hij trilde een beetje. Hij kon merken dat Mlilo niet zeker wist of hij het meende of niet, maar pater Bill keek hem aan. Hij meende het serieus.

'Ik ben Mlilo,' zei de jongen zacht. Zijn gebruikelijke zelfvertrouwen liet hem in de steek nu hij op de tafel stond en iedereen naar hem keek.

'Wat zei je, jongen? We kunnen je niet verstaan. Mlilo wie?'

'Ik ben Mlilo Graham.'

'En waar kom je vandaan?'

De jongen zweeg even. 'Braymow,' zei hij na een tijdje.

‘O, dat is leuk. Is er verder nog iets wat je met ons wilt delen, Mlilo? Zoals waarom je zo’n stijve hark bent?’

De andere drie moesten lachen, maar Mlilo niet. Pater Bill had geen spijt van zijn opmerking, want die jongen gedroeg zich echt als een stijve hark. Hij wachtte tot Mlilo iets zou antwoorden. Maar de jongen stond zwijgend op de tafel en staarde naar de muur.

‘Oké, ga maar weer zitten. Is er nog iemand die ons wil vertellen waar hij of zij vandaan komt?’ Hij keek naar de anderen en daagde ze uit om hem nog verder te laten gaan. Ze zwegen.

‘Vanaf nu gaat het hier heel anders. In deze klas zeggen we wat we denken. We doen niet meer alsof. Jullie niet, en ik ook niet.’ Hij ging zitten. Hij knikte in zichzelf terwijl hij achter zijn tafel zat. Vanaf nu zou alles inderdaad anders worden. Hij voelde zich een beetje dronken en hij hoopte dat hij nog steeds genoeg moed zou hebben als datgene wat opeens in hem was gevaren, weer zou verdwijnen.

Mohumagadi kwam die avond laat thuis. Ze had ’s middags veel nagedacht in haar kantoor, over pater Bill, de kinderen, de school, en zichzelf. Die gedachten volgden zoals altijd hetzelfde verraderlijke pad, het pad dat ze juist wilde mijden. Dan kwamen er via allerlei bochten en kronkels ongewenste herinneringen naar boven, en dat wilde ze niet. Ze werd er boos van, het leidde tot vragen die ze niet kon beantwoorden. Was het hun schuld? Was het haar fout, of de zijne? Zou het goed zijn gegaan als hij was gebleven, of teruggekomen? Waren alle beloften die ze elkaar in 1994 hadden gedaan gelogen? Als ze aan zulke dingen dacht, voelde ze zich zwak, moe en verward. Ze wist dat ze het nooit te boven was gekomen, en dat dat nooit zou gebeuren. Ze had besloten te proberen het te vergeten.

Om je zó open te stellen, je zo kwetsbaar te maken, je ogen te sluiten en je handpalmen te openen, je kaken te laten zakken, je tenen te ontspannen en te springen, maar dan op rotsen te vallen die je schedel breken en je hart doorboren. Waarom zou ze zich dat allemaal willen herinneren? Wat hadden die herinneringen haar ooit opgeleverd? Ze sloot haar koffertje, liep haar kantoor uit en ging naar huis.

Ze vond het vreselijk dat haar huis naar niets rook. Niet naar *sebete*, jus en pap op het fornuis, niet naar chloor op schone tegels, niet naar kinderen die op de bedden sprongen, niet eens naar de zon. Het was niet zozeer dat ze een van die dingen wilde. Als het maar ergens naar rook.

Ze keek in elke kamer om te controleren of er iets weg was, zoals ze elke week deed als Lee Anne had schoongemaakt, en daarna ging ze verder met haar dagelijkse bezigheden. Ze wist best dat er mensen waren die zich zorgen om haar maakten. Sommige vrouwelijke stafleden met hun echtgenoten en grote gezinnen probeerden haar vaak aan mensen voor te stellen, aan mannen. Ze herinnerde zich wat haar overleden moeder tegen haar had gezegd: 'Waarom ben jij zo anders? Je hebt alles mee: je bent intelligent, je bent mooi, er is geen reden waarom je een buitenstaander zou moeten zijn, maar toch is dat zo, je leeft aan de rand.' Maar die mensen snapten niet dat ze geen alternatief had, en dat niet iedereen gemaakt was om drie kinderen, een man en een *ousie* te hebben. Ze had een blanke werkster, een school vol excellerende kinderen, een column in de krant en geen man bij wie ze wat tot bedaren kon komen. Ze begrepen niet dat sommige mensen hun persoonlijke leven moesten opofferen voor iets groters, voor liefdewerk. Ze was niet ongelukkiger dan de vrouw van een of andere zwarte topmanager die met een stel pubermeiden rondreed in een snelle auto. Iedereen maakt een keuze. De hare was alleen anders.

15 maart

Lieve God,

Ik ben dood vanbinnen, dat ben ik al jaren maar ik realiseerde het me vandaag pas. En als ik niet dood ben, dan ben ik in elk geval stervende. Ik realiseer me dat ik gewoon de dagelijkse routine afwerk: ik sta op, kleed me aan, breek het brood, drink wijn, drink wijn, drink wijn.

Deze taak die ze me hebben toebedeeld is veel zwaarder dan ik had verwacht en het wordt me langzamerhand duidelijk dat dit alleen nog maar het begin is en het vanaf nu steeds erger zal worden. Ik denk veel meer na dan me lief is. Ik weet niet zeker of ik wel in staat ben om afstand te bewaren, wat ik toen ik op deze school kwam wel hoopte; afstand tot de mensen en tot alle emoties die voortdurend uit ze stromen. Ik dacht dat het met kinderen gereduceerd zou zijn tot een simpel goed of slecht, groot of klein, mooi of lelijk, blij of verdrietig. Geen 'Ik haat u omdat u zorgt dat ik u nodig heb terwijl ik u niet eens aardig vind, pater!' dat nog steeds riekt naar de plek waar ik vandaan kom. Ik wilde op een plek zijn waar ik afgezonderd was van de dingen waar je 's nachts van wakker ligt, die je hoofd zo vol maken, je schouders zo stijf en je maag zo zwaar. Helaas is dit niet zo'n plek.

Ze denken dat ik bang voor ze ben. Ik ben niet bang voor ze, maar wel voor wat ze in mij teweegbrengen.

Bill

Toen Mohumagadi de volgende ochtend op haar kantoor kwam, zat pater Bill op de bank te lezen in een van haar tijdschriften, de *New Afrika!*

'Molo, pater Bill,' zei ze luid terwijl ze theatraal naar binnen stapte, vastberaden om haar territorium terug te eisen van haar indringer.

'Goedemorgen, Mohumagadi. Wat ziet u er vandaag mooi uit.' Pater Bill glimlachte en liet niet merken dat hij het zich aantrok dat ze zijn aanwezigheid zo overduidelijk afkeurde.

Ze fronste haar wenkbrauwen. Dat 'wat ziet u er vandaag mooi uit' had haar van haar stuk gebracht. Ze zette haar tas op de tafel. 'Het is de bedoeling dat u een afspraak maakt als u me wilt spreken. Ik hou de ochtend graag voor mezelf.'

'O, neem me niet kwalijk, Mohumagadi. Ik heb maar een ogenblikje van uw tijd nodig en miss L. zei dat dat wel even voor de dagopening kon.'

Daar zou Mohumagadi miss L. op aanspreken. Ze was niet van plan om de regels te veranderen voor deze man, of hij nu priester was of niet, en ze hoopte dat miss L. wel beter wist dan zich door zijn blanke huidskleur te laten intimideren.

'Dat moet dan maar op weg naar de aula gebeuren. En probeer me alstublieft bij te houden. Ik kan niet te laat komen op mijn eigen dagopening.'

Ze wist dat ze streng deed, maar wat maakte dat uit? Hoe moest hij anders leren dat je niet zomaar 's ochtends op de bank van je baas neer kon ploffen en haar tijdschriften door kon bladeren alsof ze een goede vriendin van je is. En zolang die man hier op school was, moest hij beseffen dat zij de baas was en hij de ondergeschikte.

Ze marcheerde de gang op en keek niet om of hij haar wel achternakwam. Ze ging expres wat sneller lopen toen ze hoorde dat hij zijn best moest doen om haar bij te houden. Toen ze op de galerij kwam, waar een paar leraren thee zaten te drinken, haalde hij haar tot haar afschuw eindelijk in.

'Mohumagadi, ik wilde alleen maar vragen of ik een dvd-speler en een projector zou kunnen lenen. Als de school daarover beschikt, tenminste.'

'Voor eigen gebruik? Geen denken aan.' Was hij nu helemaal gek geworden?

'Nee, niet voor mij, voor in de klas,' zei hij snel.

Ze bekeek hem onderzoekend. Wat moest hij in vredesnaam met een dvd-speler in de klas?

'Waarom? vroeg ze.'

'Ik kom hier altijd al 's ochtends vroeg, zoals u weet. Voor de dagopening. Maar de kinderen komen pas om drie uur. Ik vind het niet erg om zo vroeg te komen, maar het duurt wel erg lang voor ik iets te doen heb. Daarom dacht ik... Ik bedoel, het is ook prima als u nee zegt, maar er is een Bijbelserie op dvd die ik graag wil zien en die zou ik dan in de ochtend willen bekijken. Als het mogelijk is. Het hoeft dus niet per se. Maar ik beloof dat ik er heel voorzichtig mee zal zijn.'

'Ik moet er even over denken.'

'Oké, Mohumagadi. Bedankt.'

Ze wees hem op de rij met leraren die al klaarstond en waarbij hij zich moest aansluiten. Iedereen liep in processie de aula binnen, en de kinderen stonden op. Later, op het podium, nam ze het zichzelf kwalijk dat ze zo onbuigzaam deed tegen die man. Ze vroeg zich steeds bezorgd af wat hij allemaal uitvoerde en ging bijna elk uur bij hem kijken, terwijl hij alleen maar een Bijbelserie wilde zien! Ze grinnikte. Foei. Hij wilde de tijd doden met een serie over de Bijbel. Wat lief. Leuk. Wel een beetje simpel, heel simpel, maar ook leuk. Ze lachte weer, maar nu om zichzelf, omdat ze ooit verliefd op deze man was geweest. Hij was niet eens haar type! Ze was toen nog maar een kind, een dom kind dat verliefd werd op de eerste blanke jongen die aandacht aan haar besteedde. Ze was toen jong en in verwarring, en ze mocht het zichzelf niet kwalijk nemen.

Het orkest begon te spelen en iedereen ging staan voor het schoollied.

Het zou allemaal wel goed komen, dacht Mohumagadi bij zichzelf. Ja, het zou toch nog goed komen.

Ri thuphiwa zwinzhi
Fhedzi ri si pwashekanyiwe
Ra tovholwa, fhedzi ri si shae Moya
Ra tsimbeledzelwa fhasi, hone ri shi lovhe.

Onze school is excellent
Al is de tijd heel turbulent

Angst voor tegenslag onbekend
Op weg naar het succes.
Sekolo sa Ditlhora, Sekolo sa Ditlhora,
Sekolo sa Ditlhora
Op weg naar het succes!

Re dikilwe thoko tsohle
Mme ga re pitlaganywe
Re a phoraphora
Mme ga re gakanege
Re a tlaiswa
Mee ga ra lahlega
Re digelwa fase
Mme ga re senyege.

Kind van een and're voorzienigheid
Ons hart vol waarachtigheid
Overtuigd van onze vaardigheid
Op weg naar het succes.
Sekolo sa Ditlhora, Sekolo sa Ditlhora,
Sekolo sa Ditlhora
Op weg naar het succes!

Siyabandezelwa ngeenxa zonke
Singaxineki
Siyathingaza, singancami
Sitshutshiswa asiyekeleli
Sikhahlelwa phantsi
Asitshatyalaliswa.

De wereld wacht op ons met smart
Hier zijn wij dan met heel ons hart
Om het kruis te dragen niet benard

Op weg naar het succes.
Sekolo sa Ditlhora, Sekolo sa Ditlhora,
Sekolo sa Ditlhora
Op weg naar het succes!

Later die ochtend, toen hij van de lerarenkamer terugkwam in zijn lokaal en een dvd-speler op zijn bureau zag staan met een nieuwe projector die nog in de verpakking zat, voelde pater Bill zich afschuwelijk omdat hij had gelogen. Er zat een briefje op de projector:

Beste pater Bill,

Alle draagbare projectoren zijn vanochtend in gebruik, dus een van de chauffeurs is deze gaan kopen. Laat het direct weten als er problemen mee zijn.

Hartelijke groet,
Miss L.

Hij snapte niet hoe er tussen de dagopening en het ontbijt in de lerarenkamer genoeg tijd was geweest om een nieuwe projector te kopen. Mohumagadi moest daar opdracht toe hebben gegeven nog voordat de dagopening was afgelopen, en dat betekende dat ze luttele minuten nadat hij erover was begonnen al met zijn verzoek had ingestemd en er niet lang over had hoeven nadenken. En dat was vreselijk, omdat hij zelf ook niet meer over zijn vraag en zijn leugen had nagedacht. Nu stond dit gloednieuwe dure apparaat hem op zijn bureau aan te kijken. Ze had moeten weigeren. Wat moest hij doen als ze die middag kwam kijken en zou zien dat hij naar een tekenfilm keek in plaats van naar die zogenaamde serie over de Bijbel? Hij keek naar de ongeopende verpakking en de dvd-speler die zo te zien nauwelijks was gebruikt, en overwoog om naar haar kantoor te gaan, de apparaten terug te brengen en te zeggen dat hij van gedachten was veranderd, dat hij helemaal geen Bijbelserie had. Maar dat ging ook te ver. Wat een onzin om je aan dat soort brave regeltjes te houden. Wat had hij in 's hemelsnaam voor leven als hij de hele dag in dat lokaal zat terwijl de anderen buiten speelden? Was het dan zo erg als hij zijn schoenen een beetje beschadigde, zijn sokken scheurde, zijn shirt verruïneerde en zijn handen vuilmaakte? Dan had hij in elk geval die knikker, was hij over de hoogste lat gesprongen, had hij rondjes gedraaid op de draaimolen en had hij op de schommel met zijn voeten een wolk aangeraakt. Hij zou niets tegen haar zeggen.

Ndudumo's moeder was weer in het land. Ze had woord gehouden en was naar de school gekomen, onaangekondigd, zoals bij haar paste. Mohumagadi trof dus alweer een onverwachte gast aan op haar bank, en daar begon ze zich behoorlijk aan te ergeren. Ze keek miss L. met een dodelijke blik aan toen ze haar kantoor binnen kwam en mevrouw Pooi op de bank zag zitten telefoneren, met haar felroze hakken met krokodillenprint, haar visnetpanty's en haar arm vol zilveren armbanden.

Terwijl Mohumagadi haar hartelijke schoolhoofdgezicht trok en de moeder van Ndudumo met een omhelzing begroette, kon ze het niet nalaten zich te verbazen over de transformatie die de vrouw had ondergaan. Van een ploeterende dj bij een nachtelijk radioprogramma was ze plotseling een ster geworden. Verbijsterend. Ze herinnerde zich nog haar beruchte woorden die op het journaal waren uitgezonden: 'God wil graag dat we gelukkig zijn. God wil graag dat we neuken.' Een stukje uit een uiterst korte lezing over zoiets als 'veranderde opvattingen over seks door hiv', gegeven op een kleine bijeenkomst van wat randfiguren, maar die zin was radicaal genoeg om haar van een obscure dj die vijfduizend rand per maand verdiende op te laten stomen tot een internationaal uitgeverssucces, een motiverende spreker en het gezicht van Kinky Hair. Zeg iets wat enigszins bijzonder is, een tikje gewaagd, één keer maar, laat dat vastleggen door een geïnteresseerde verslaggever van een vrij groot dagblad en zie: je bedje in de media is gespreid.

Mohumagadi keek gefascineerd naar haar terwijl ze sprak. Ze was nog maar zo jong, een jaar of achtentwintig, zeker niet boven de dertig. Mohumagadi was ervan overtuigd dat dit meisje absoluut niet had geweten wat ze met haar uitspraken teweeg zou brengen tot er al zoveel op gang was gebracht dat ze niet meer terug kon. Op een ochtend stond haar speech op de voorpagina's van de kranten, vervolgens werden haar uitspraken besproken in de ontbijtshows en voordat ze het wist had ze een internationaal contract voor een boek. Om nog maar te zwijgen van de T-shirts. Ja, T-shirts. T-shirts met haar gezicht en de tekst 'God wil graag dat wij neuken' erop gedrukt.

Ze werd echt het gesprek van de dag. Miss Controverse, zoals sommigen haar noemden. De vrouw waar iedereen het graag over had, maar die niemand echt wilde ontmoeten. Als je bij haar in de buurt kwam, kon je problemen verwachten, alleen al door met haar geassocieerd te worden, want wat had een fatsoenlijk mens bij zo'n onfatsoenlijke vrouw te zoeken? Er deden allerlei geruchten over haar de ronde: dat ze geen man had, dat ze te veel mannen had, dat ze als kind seksueel misbruikt was.

Mohumagadi dacht persoonlijk dat de moeder van Ndudumo een fout had gemaakt, niet door wat ze zei, maar door de manier waarop ze het bracht. Natuurlijk, bepaalde dingen die ze beweerde waren heel zinnig. Ze had het boek doorgebladerd en ze vond het helemaal zo slecht nog niet, maar wat waren de gevolgen? Zelfs de waarheid had consequenties, net als de zonde, de kerk, ziekte, en immoreel gedrag. Je kon niet zomaar in het openbaar zeggen wat je wilde. De mensen hoorden dat, kinderen hoorden dat, haar eigen kind hoorde dat. Seksualiteit en spiritualiteit konden nu eenmaal niet in één adem genoemd worden (tenzij het over onthouding ging) als het gevolg van zulke uitspattingen de dood was of erger: isolatie. Over zulke dingen sprak je gewoon niet.

Nadat mevrouw Pooi had verteld over haar angst dat het incident waarbij haar eigen kind en de andere kinderen betrokken waren een smet zou werpen op haar imago, en Mohumagadi haar ervan had verzekerd dat haar pr-medewerker erop zou toezien dat er niets meer over in de krant zou komen, bood Mohumagadi haar een kopje thee aan.

'Wat is God toch vreemd,' zei Ndudumo's moeder opeens terwijl ze achteroverleunde op de bank, haar BlackBerry tevoorschijn haalde en op het scherm keek. 'God is zo cryptisch. Moet je je God eens voorstellen als minnaar.' Ze keek Mohumagadi lachend aan. 'Shit, wat lijkt me dat frustrerend. Dan zou je nooit weten hoe je ervoor staat, wat Hij voelt, of je het goed doet of fout.' Ze lachte weer. 'Ja, oké, je weet dat Hij van je houdt, maar waarom komt Hij daar dan nooit eerlijk voor uit? Ik bedoel, ik weet best dat Hij van ons houdt door middel van anderen die van ons houden, maar dat is allemaal wel erg ingewikkeld. En stel dat je niet van ingewikkeld houdt? Stel dat je gewoon wilt dat God het rechtstreeks tegen jou zegt, dat Hij zegt dat het wel goed zal komen met je, dat je wel oké bent, dat Hij blij met je is. Ik zou echt knettergek worden als ik met God uit moest, ik zou er absoluut niet tegen kunnen. Ik zou gek van Hem worden.'

Mohumagadi wist niet wat ze moest zeggen. Ze bleef bewegingloos staan met de lege theekopjes in haar handen. Ndudumo's moeder keek haar even aan en begon te lachen. Ze stond op en zette de ketel uit.

'Het water heeft nog niet gekookt,' zei Mohumagadi.

'Ik wacht nooit tot het kookt, want dan moet je weer wachten tot het is afgekoeld. Met warm water uit de kraan kun je ook lekkere thee zetten. Dat vind je toch niet erg?'

'Nee hoor, helemaal niet.' Mohumagadi was volkomen van haar stuk gebracht. Ze bood aan om Ndudumo uit de klas te laten halen zodat mevrouw Pooi haar nog even kon zien voordat ze weer vertrok. Dat was niet echt gebruikelijk en Mohumagadi liet kinderen maar zelden uit de les halen, maar Ndudumo had haar moeder al heel lang niet meer gezien.

'Nu niet,' zei de beroemde moeder. 'Ik moet straks snel door naar een lunchbespreking.'

Met warm water uit de kraan kun je lekkere thee zetten? Mohumagadi deed hoofdschuddend de deur achter die vrouw dicht. Ze voelde zich opeens uitgeput. Volkomen leeg. Met warm water uit de kraan lekkere thee zetten? Ze kon er niet over uit.

Ik weet niet hoe ik die kinderen moet helpen, dacht Mohumagadi. De kinderen met problemen die al zijn ontstaan lang voor ze zijn geboren. Kinderen uit de tijd van onderbetaalde kindermeisjes, chauffeurs, PlayStation en gehaaste maaltijden. Kinderen met grootouders die ballingen waren, ouders bij de SAMA, ooms en tantes bij Mzoli. Flesvoeding die niet op de goede manier was klaargemaakt, één schep in plaats van vier, melk die te geconcentreerd of te dun was. Borsten die waren opgezwollen doordat er niet aan werd gezogen, pijnlijke tepels door verkeerd aanleggen.

'Ik heb een paar films bij me, jongens!' zei pater Bill enthousiast toen de kinderen die middag het lokaal binnen kwamen.

Maar ze reageerden anders dan hij had verwacht.

'Ik weet dat jullie je werk hebben, maar dat kunnen jullie thuis of een andere keer wel inhalen, toch?' vroeg hij stralend.

Ze stonden hem alle vier bij de deur alleen maar aan te staren. Waarom waren ze zo verbaasd? Oké, ze moesten huiswerk maken, maar kom op, hij was de leraar en als de leraar zei dat het goed was, wat was dan nog het probleem? Toen hij zo oud was, zou hij dolblij zijn geweest als hij in een nablijfklas een film had kunnen zien.

'Ik heb bij me: *King Kong*, *In de ban van de Ring*, *Titanic*, *Casablanca*, *Pretty Woman*, *Gejaagd door de wind*, *Good Will Hunting* en *Australia*: een paar oude en een paar nieuwere, maar ze zijn allemaal goed!'

Ze zetten hun tassen op de tafels en bleven zwijgend naast hun stoel staan. Ze ontweken zijn blik, zelfs Zulwini, die naar zijn schoenen staarde en met een snoeppapiertje prutste. Pater Bill begreep er niets van. Wat was er met die kinderen aan de hand?

'Kom op, zeg!' probeerde hij nog eens. 'Wat is er, hebben jullie ze allemaal al gezien?' Hij keek de kinderen onderzoekend aan, maar geen enkel paar ogen was bereid naar hem te kijken. Misschien waren ze van streek door zijn uitbarsting van de vorige dag, toen hij Mlilo op de tafel had laten klimmen, maar dat kwam doordat hij zo geïrriteerd was. Hij had een zware week achter de rug en was een beetje van streek geweest, maar dat betekende niet dat de komende paar weken vervelend hoefden te zijn.

'Oké, misschien zijn jullie nog een beetje van slag door wat er gisteren is gebeurd, maar laten we dat vergeten, jongens. Ik wilde alleen dat we eerlijk zouden zijn tegen elkaar. Het was niet mijn bedoeling om iemand te kwetsen. We hebben allemaal wel iets gezegd wat we niet meenden. Dus laten we dat vergeten, laten we vrienden zijn en aan ons filmfestijn beginnen!'

Mlilo gooide zijn tas op de grond en klom op zijn tafel.

'Dan zal ik maar eerlijk zijn, pater Bill. Wij willen geen stomme films zien. Films over blanken, over hun fantasieën, hun probleempjes, hun crisissen. Wij willen niet worden lastiggevallen met suikerspinnen en kauwgum. Zolang het geen Afrikaanse geschiedenis is, en dat is het nooit, zijn wij niet geïnteresseerd. En begrijp het niet verkeerd, pater Bill, wij zijn uw vrienden niet. Niemand van ons zit uit vrije wil in dit lokaal.'

En hij klom weer van de tafel.

Pater Bill keek hem aan. Heel even voelde hij een steek van woede, maar toen kwam er een vreemde euforie over hem en hij lachte met dezelfde woeste lach als de vorige dag, en klapte energiek in zijn handen.

'Uitstekend, Mlilo, bedankt. Wie volgt? Kom op, ga op de tafel staan en zeg wat je op je lever hebt. Niemand? Oké, dan gaat de show beginnen.'

Hij keek om zich heen. Niemand verroerde zich. Mlilo was buiten adem, zijn kleine borstkas ging bij elke ademhaling heftig op en neer. Pater Bill liep naar zijn tafel, pakte de oude weekendtas die hij had meegenomen, haalde er een willekeurige dvd uit en stopte die in het apparaat.

'Niet doen, pater Bill,' fluisterde Zulwini met tranen in zijn ogen. 'Dan schoppen ze u eruit.'

'Laat hem toch, laten ze hem er maar uit schoppen,' siste Mlilo.

Pater Bill had de projector al klaargezet. Hij liep naar de muur om het licht uit te doen en pakte twee stoelen, een om op te zitten en een voor zijn voeten. Ze konden wat hem betreft doen wat ze wilden. Hij ging naar *King Kong* kijken.

Het tijdstip van drie uur brak aan en ging voorbij. Mohumagadi zat achter haar bureau en bleef zitten. Ze dacht na over haar verantwoordelijkheid als hoofd van de school om te controleren of alles in die klas goed verliep; ze zei tegen zichzelf dat ze niet meer zou gaan controleren zodra alles zijn gewone gang ging, maar dat dat nu nog niet het geval was, dat die man er pas een week was, dat hij nog nooit eerder voor de klas had gestaan en niet met die kinderen alleen gelaten kon worden zonder enige vorm van toezicht, dat dit geen gewone kinderen waren, dat hij niet zomaar naar believen op deze school kon doen wat hij wilde, dat zij verantwoordelijk was voor het geestelijk welbevinden van de kinderen en voor wat hen geleerd werd en dat het voor hun bestwil was dat ze elke dag langs die klas liep, dat ze het niet voor zichzelf deed.

Maar toch ging ze niet. Voor het eerst sinds de komst van die man liet ze het tijdstip voorbijgaan. Ook al kostte het haar moeite. Een groot, boos, bezorgd, angstig deel van haar wilde hier niet alleen maar zitten afwachten terwijl hij, een bedreiging van haar wereld, haar planeet, haar heelal, zich vrij door haar school kon bewegen. Ze wilde niet vechten tegen het diepe, wanhopige verlangen om op te staan, haar kantoor uit en die gang in te lopen, een verlangen dat zo groot was dat ze in haar broek plaste door de poging om het te beheersen. Om op haar stoel te blijven zitten. Het was niet de eerste keer dat haar lichaam in opstand kwam tegen haar geest. Haar lichaam wist dat ze naar huis zou moeten gaan om zich te verkleden, dat ze niet naar zijn klas kon gaan als de urine langs haar benen drupte, ook al zou ze dat willen.

Een volwassen vrouw die in haar broek plaste. Zelfs kinderen uit de eerste deden dat niet meer. Ze was kwaad. Alweer. Deze keer was het een frustrerende woede, want op wie moest ze kwaad zijn? Op haar lichaam dat had toegestaan dat haar blaas het zo snel opgaf, ondanks haar instructies om de plas op te houden? Of op haar verstand, omdat ze er niet aan had gedacht om eerder op te staan en naar het toilet te gaan?

16 maart

Lieve God,

Ik hoor alleen maar gesnurk, van mijn huisbaas en zijn zoon. Ik kan er niet over uit en ik kan er niet onderuit. Zo'n vredige, tevreden slaap. Ik krijg er de kriebels van, ik ga ervan knarsetanden en ik erger me dood. Ik heb er de pest aan, niet aan hen, maar aan dat gesnurk. Waarom kan ik nooit zo slapen, de hele nacht door, zonder last op mijn schouders, zonder knoop in mijn maag? Waarom word ik altijd om 1:19 wakker, vol denkbeeldige antwoorden op denkbeeldige vragen?

Alsof ze de spot met me drijven snurken ze harder naarmate ik bozer word. Waarom kan ik dat niet?

Bill

'Pater Bill, neem me niet kwalijk, pater Bill, ik heb een dvd van huis meegenomen die we kunnen bekijken.'

Hij was weer achter zijn bureau in slaap gevallen terwijl hij zat te wachten tot de kinderen er waren. Hij had dat weekend heel weinig geslapen en was te uitgeput om de schijn op te houden. Die ochtend was hij te laat gekomen, had te veel en te ongezond gegeten in de lerarenkamer, en hij merkte dat hij vreemd rook. Hij had nog geen plan gemaakt voor die dag en was het zat om het steeds maar weer met die kinderen te proberen. Als ze kwamen zou hij wel iets bedenken. Toen hij zijn ogen opende, stond Ndudumo voor hem en schudde hem wakker. Ze liet hem de dvd zien.

'Het is *Finding Nemo*, ik hoop dat het mag,' zei ze. Ze hield het kleurige doosje vlak voor zijn neus.

Hij was de plotselinge overgang van diepe slaap naar ontwaken nog niet helemaal te boven. Hij nam het doosje van haar aan en keek er peinzend naar.

'Ik dacht dat we die wel konden gaan zien,' zei ze. Ze keek hem met een doordringende blik onderzoekend aan.

Hij was een beetje gedesoriënteerd en voordat hij antwoord kon geven, zei ze: 'Maar het geeft niet als het niet kan, pater Bill. U hebt natuurlijk al iets anders gepland.'

'Nee, nee, natuurlijk, zet maar aan,' zei hij snel. Eindelijk had hij de aan-knop in zijn hoofd gevonden en hij stond haastig op.

Ze lachte. 'Ik weet niet hoe de dvd-speler werkt,' zei ze. Ze liep naar de tafel achter in het lokaal, waarop hij vrijdag de dozen en hun inhoud had neergezet.

'Geen probleem,' zei hij. Hij lachte terug. 'Het is een tikje lastig, vooral voor zo'n ouderwets iemand als ik, maar het is me vrijdag ook gelukt. En daar was ik best mee in mijn schik.' Hij straalde en genoot van deze nieuwe wending. Leuk dat hij voor de verandering niet degene was die een gesprek op gang moest brengen.

'Hallo jongens, leuk weekend gehad?' Doordat hij zo opgetogen was over Ndudumo's enthousiasme, was hij vergeten dat ze elkaar die middag nog niet eens hadden begroet.

De drie kinderen gingen staan en begroetten hem zoals altijd in koor. De kilte van afgelopen vrijdag hing nog steeds in de lucht.

'Ik heb die film thuis al heel vaak gezien, samen met mijn moeder,' ging Ndudumo verder, die kennelijk niets merkte van de spanning. 'Nou ja, voordat ik op deze school kwam. Wij vonden *Nemo* geweldig.' Pater Bill kon merken dat ze enthousiast was. Dat was hij ook, maar hij maakte zich wat zorgen om de andere drie paar ogen die hen zwijgend in de gaten hielden.

'Het is de enige dvd die we ooit hebben gekocht.

We hadden toen nog niet zoveel geld,' vertelde ze verder terwijl ze de dvd-speler samen naar zijn bureau droegen. Ze hadden een van de snoeren achterin laten liggen. Als hij een ander kind erbij betrok, zou de stemming misschien wat opklaren.

'Mlilo en Zulwini, willen jullie de projector klaarzetten? En misschien kun jij bedenken welke film we morgen kunnen gaan zien, Moya,' zei hij. Hij probeerde zo feestelijk mogelijk te klinken.

Zulwini maakte aanstalten om op te staan, maar Mlilo belette dat. 'Wat denk jij verdomme dat je aan het doen bent, Ndudumo?' riep hij vanaf zijn plaats. Hij negeerde het verzoek van pater Bill volkomen.

'Ndudumo, je helpt ons allemaal in de problemen. Je weet best dat we geen films mogen kijken,' zei Zulwini zacht.

'Zie je niet wat die man probeert te bereiken, Ndudumo? Hij probeert ons in te palmen. Hij probeert ons hoofd vol te stoppen met waardeloze rommel!' schreeuwde Mlilo.

Pater Bill verstarde.

'O, kom op, Mlilo, het is maar een film,' zei Ndudumo, en ze liep door het lokaal om de projector zelf te gaan halen.

Mlilo greep haar bij haar arm vast. 'Nee, het is niet alleen maar een film, Ndudumo, daar gaat het niet om. Wat is er toch met jou?'

'Mlilo, laat me los! Ben je gek geworden?' riep Ndudumo uit.

Mlilo schrok en hij liet haar los.

'Doe toch een beetje relaxed, man,' zei ze, nu weer met een lach. 'We kunnen trouwens moeilijk nog meer problemen krijgen. We zitten al in een nablijfklas, en dat is op deze school nog nooit eerder gebeurd. En het is echt een leuke film, Mlilo. Zelfs zo'n stijfkop als jij vindt hem waarschijnlijk leuk.' Ze pakte de projector, lachte naar hem toen ze weer langs hem liep, en begon de projector aan te sluiten.

Maar Mlilo gaf het niet op. 'Hoe kan dat nou een leuke film zijn als wij daarin op de achtergrond alleen maar vloeren vegen, tafels afruimen, vuilnis ophalen en wc's boenen waar kleine blanke jongetjes een drol op hebben gedraaid? Dat is nou precies wat ze van ons willen, Ndudumo: ze willen dat we relaxed doen, maar zodra je relaxed bent...'

Ndudumo stak haar armen in de lucht. 'Godallemachtig, Mlilo, het is een tekenfilm. Over vissen, vissen en nog eens vissen!'

'Zeg dat niet,' mopperde Zulwini.

'Wat niet?' vroeg Ndudumo terwijl ze hem enorm geïrriteerd aankeek.

'Je mag Gods naam niet ijdel gebruiken,' antwoordde Zulwini, iets harder.

'Ach, hou toch op, Zulwini, jij hebt niks met dit gesprek te maken, dus ik snap niet waarom je het nodig vindt om je erin te mengen,' beet Ndudumo hem toe.

'Nou, in elk geval is mijn moeder geen slet,' mompelde Zulwini.

Nu bleef het stil in het lokaal.

Pater Bill stond nog steeds op dezelfde plek waar hij had gestaan toen Mlilo Zulwini teruggeduwd had op zijn stoel. De stilte werd zwaarder en pater Bill was ervan overtuigd dat als niemand iets zei om goed te maken wat er zojuist was voorgevallen, die stilte iedereen zou verstikken.

Zulwini sloeg zijn hand voor zijn mond, maar het was al te laat, de woorden waren eruit en iedereen had ze gehoord.

'Wat?' bracht Ndudumo uit. 'Wat zei je daar, kleine, bekrompen godsdienstwaanzinnige Bijbelfanaat van niks? Wat zei jij daar over mijn moeder?'

Zulwini gaf geen antwoord. Hij stond bibberend op, maar ging weer zitten. Pater Bill liep naar hem toe, maar bleef halverwege staan want hij wist niet of hij eerst naar Zulwini of eerst naar Ndudumo moest gaan.

'Zulwini?' vroeg Mlilo zacht. 'Hoe kun je zoiets zeggen?'

'Mijn moeder is geen slet!' gilde Ndudumo. 'Mijn moeder is geen slet!'

Ze rende het lokaal uit, alsof ze niet snel genoeg bij de anderen vandaan kon zijn.

Zulwini verborg zijn gezicht in zijn handen. Het was duidelijk dat hij zich enorm schaamde. Waar kwamen zulke woorden opeens vandaan, vroeg pater Bill zich af, terwijl hij die jongen zelfs nog nooit met stemverheffing had horen praten? Moya zat nog steeds roerloos, ze was tijdens de hele toestand stil op haar stoel blijven zitten en het enige levensteken was een ononderbroken gedruppel uit haar ogen dat had geresulteerd in een klein plasje op haar tafel. Toen ze toch opstond, liep ze regelrecht naar de tafel van pater Bill, pakte de dvd en stopte hem in de dvd-speler.

Die dag vergat Mohumagadi alles over de man op haar school en de kinderen voor wie hij was gekomen. Ze was in het weekend goed uitgerust en vastbesloten om de rust die ze altijd voelde te heroveren door die maandag haar leven weer enigszins op orde te krijgen. Het Khuluma Festival was begonnen en die ochtend luisterde ze op basisschool St.-Monica naar leerlingen die gedichten voordroegen, discussies voerden rond het thema 'Opwarming van de aarde: wiens schuld is dat eigenlijk?' en lezingen gaven over 'Nieuwe vormen van leiderschap in Afrika'. Tegen drieën was ze uitgeput, lag er een stapel papierwerk op haar te wachten en was ze voor de verandering eens niet afgeleid door de vraag of ze nu wel of niet een kijkje bij die klas moest nemen. Maar het was een prettige uitputting en een prettige stapel papieren. Het festival was uitstekend verlopen en de kinderen van Sekolo sa Ditlhora hadden de meeste prijzen in de wacht gesleept. Ze voelde zich zowaar gelukkig. Voor de verandering. Het was vreemd. Mohumagadi voelde zich gelukkig. Een zeldzaam fenomeen. Meestal was ze op schema, op weg, op tijd, maar gelukkig, gewoon alleen maar gelukkig, was ze zelden. Ze voelde zich veilig en warm vanbinnen. Het soort geluk dat je voelt als je op een partje *naartjie* zuigt. Het was goed, en een goede plek om te vertoeven.

Pater Bill haastte zich achter Ndudumo aan en vond haar op het meisjestoilet waar ze geluidloos zat te huilen. Hij kon geen troostende woorden bedenken toen hij haar op de vloer zag zitten, met haar elleboog op de zitting van het toilet. Hij draaide zich om en liep weer naar de klas om de brief van haar moeder te halen, de brief die hij voor haar aan Mohumagadi had gevraagd.

Toen hij terugkwam huilde ze niet meer, maar zat bewegingloos op de vloer, precies zoals hij haar had achtergelaten. 'Ik heb aan Mohumagadi gevraagd of ik deze mocht hebben. Ik dacht dat jij hem wel zou willen. Sorry dat ik hem nu pas aan je geef.'

Ndudumo nam de brief aan, vouwde hem open en las hem door, twee keer; toen stopte ze het opgevouwen papier in de zak van haar blazer. 'Bedankt,' zei ze.

Pater Bill ging bij haar op de harde vloer zitten.

'Mijn moeder is geen slet. Ik weet wel dat iedereen dat denkt, maar het is niet zo,' zei Ndudumo zacht.

'Dat denkt heus niet iedereen, Ndudumo, ik denk het bijvoorbeeld niet.'

'U mag niet liegen, pater Bill. Dat mogen priesters niet.'

'Maar ik lieg ook niet. Ik ken je moeder niet eens, dus hoe zou ik dat dan van haar kunnen denken?'

'Omdat mensen zoals u altijd tegen kinderen zeggen dat je mooier bent als je nog maagd bent en dat je zelfs in het huwelijk het aantal wippen moet beperken. Volgens mij liegen jullie allemaal. Jullie bedenken regels waar je jezelf niet eens aan kunt houden. Dat is wat mijn moeder probeert te zeggen. Maar daarom is ze toch nog geen slet?'

Pater Bill gaf geen antwoord. Hij was blijven steken bij het woord 'wippen'. Waar haalde een kind van tien dat vandaan?

'Ik wacht ermee, tenminste voorlopig nog.'

'Voorlopig nog?'

'Ja, voorlopig nog, maar ik schaam me nergens voor. Seks is geen zonde.'

'Nee. Nee, dat is waar, Ndudumo.'

Ze keek hem onderzoekend aan, alsof ze erachter probeerde te komen of hij de waarheid sprak, of hij meende wat hij zei. Hij keek haar ook aan, met ogen die in gebed knielden voor dit dwalende meisje. En toen kuste ze hem, ze kuste hem alsof ze hem wurgde, maar er was geen twijfel mogelijk: het was een kus. Hij wilde haar wegduwen, hij schrok, wat deed ze nu? Maar ze wilde hem niet loslaten en hij vroeg zich af of ze nog wel kon ademen. Hij voelde tranen op zijn gezicht en dat deed hem besluiten dat hij haar beter kon laten begaan. Ze krabbelde overeind en rende weg. Daar zat hij, op de koude tegels, hij hoopte maar dat er niemand binnen zou komen. Hij wilde ook huilen, maar kon zijn gevoel niet naar buiten lokken.

Mohumagadi liep de parkeerplaats op waar ze alleen nog haar eigen auto verwachtte aan te treffen. Maar die van pater Bill stond er ook nog. Ze groette Vusi, Petro en Winston, de drie bewakers die nachtdienst hadden. Ze informeerde naar hun familie en hun gezondheid en lachte om een of andere onnozele roddel die ze over haar in de plaatselijke krant hadden gelezen. De mensen vonden het altijd leuk om te vertellen wat ze over haar gelezen hadden, of het nu grappig of vervelend was, of ze het wilde horen of niet, dus ze had geleerd om er gewoon maar om te lachen. Ze stapte in haar auto, startte de motor en reed weg, maar stopte om de een of andere reden naast de auto van pater Bill. Ze keek in de achteruitkijkspiegel of de bewakers haar konden zien. Ze zaten weer in hun hokje, dus ze wist het niet. Ze bewoog niet, ze vroeg zich af of ze naar haar keken en wat ze in dat geval dachten; toen realiseerde ze zich dat het nog veel verdachter was als ze stil bleef zitten. Ze draaide het raampje omlaag en begon in haar tas te rommelen. Ze keek weer in haar achteruitkijkspiegel, maar kon de bewakers nog steeds niet zien. Ze stak haar hand naar buiten en streek langzaam over zijn auto. Meteen trok ze haar hand weer terug, draaide het raampje omhoog, zette de motor aan en reed weg. Waar was ze mee bezig? Zelfs als het mogelijk was kon ze niet terug, terug naar waar ze toen waren, vroeger, dus waar was ze nou mee bezig? Ze keek een paar keer nerveus in de spiegel, uit een stomme angst dat iemand had gezien wat ze deed en haar achternareed om haar te laten stoppen en te zeggen dat hij het had gezien. Zielig hoor. Wat voelde zij zich zielig.

'Hij is een gepasseerd station, Tshokolo,' zei ze hardop tegen zichzelf. 'Een gepasseerd station, en een trein rijdt nu eenmaal niet achteruit.'

19 maart

Lieve God,

Wat zijn wij beschadigd en kapot. Wat een pijn, wat een verdriet, wat een verwarring heersen hier. Zou het niet gemakkelijker zijn geweest, God, als U ons een hart had gegeven dat we konden uitdoen en op een plank konden zetten? Een hart dat afzonderlijk van ons bewaard kon worden zodat we ernaar konden kijken als Dorian Gray naar zijn portret? Zodat we konden zien hoe het verandert? En, belangrijker nog, zodat anderen dat ook konden zien? Zodat ons hart niet in ons afsterft, koudvuur krijgt en doodgaat, omdat mensen het zouden kunnen zien en het niet onopgemerkt bleef?

Bill

De volgende ochtend werd hij wakker met het gevoel dat hij het niet een hele dag in dat lokaal zou uithouden. Hij stapte uit bed en ging op de vloer zitten. Hij zou opstaan en zich aankleden. Niet douchen. Hij zou naar de dagopening gaan, zoals van hem verwacht werd, en daarna weer naar huis. Hij zou het T-shirt aantrekken waar hij in geslapen had, een pizza bestellen en een film kijken. Om tien voor drie zou hij weer naar de school gaan. Tien minuten was krap, dan kwam hij hoogstwaarschijnlijk te laat, maar dan moesten ze maar wachten.

Toen Mohumagadi die ochtend in de spits reed, besloot ze in een opwelling bij het eerstvolgende uitkijkpunt bij zee te stoppen. Ze kwam elke dag langs een paar van zulke plekken, maar sinds ze naar de kust was verhuisd, was ze nog nooit naar het strand gegaan, ze was zelfs nog nooit even gestopt om te kijken. De laatste keer dat ze aan zee was geweest was ze veel jonger, dat was tijdens een uitstapje naar een missieschool die de paters in Simon's Town bouwden. Sindsdien was ze nooit meer op het strand geweest.

Het voelde nooit natuurlijk, altijd zo geforceerd, alsof het strand van iemand anders was en zij alleen maar een indringer. Maar die ochtend was het alsof de zee haar wenkte. Ze lachte om zichzelf. Wat een cliché, de wenkende zee, maar toen ze het bordje zag, reed ze de parkeerplaats op. Achter zich hoorde ze andere auto's, motorgeronk, ongeduld, stress. Het was prettig om even uit die wereld te stappen. Die wereld die voor de verandering eens geen deel van haar uitmaakte. De zee was zoals altijd eindeloos blauw, maar toch werd ze overweldigd door haar schoonheid. Ze wilde houden van die zee om wat zij was, volkomen puur, maar dat kon ze niet, ze kon haar niet vertrouwen.

In de verte zag ze een man die een boot in het water duwde, steeds verder de zee in, steeds verder uit de kust. Ze vroeg zich af of het pijn deed om dat koude water in te lopen. Toen ze weer terug was bij haar auto, stond de man tot aan zijn schouders in het water en duwde de boot nog verder weg. Ze vroeg zich af waarom hij dat deed, waarom hij zo'n goede boot in zee duwde. Moest hij er niet eerst zelf in gaan?

Achter haar toeterde iemand. Het licht stond op groen, maar ze zat zo ingespannen naar die man met zijn boot te kijken dat ze niet was doorgereden. Toen ze dat deed, was het te laat: zij redde het nog net, maar de boze bestuurder van de auto achter haar moest stoppen. Ze keek in de achteruitkijkspiegel met de bedoeling een verontschuldigend gebaar te maken, maar de bestuurder had zijn middelvinger al opgestoken. Dat deed haar meer verdriet dan redelijk was. Ze voelde zich ontzettend machteloos. Zou die man dat ook doen als hij wist wie ze was? Waarschijnlijk was het een ongeschoolde leeghoofdige zwakbegaafde sukkel die geen oog had voor een vrouw die fantastische dingen deed voor de maatschappij. Ze haatte hem. Ze haatte ze. Ze haatte ze allemaal. Ze waren allemaal hetzelfde, Bill, de paters van de kerk. Ze zou ze op een boot willen zetten, op een groot schip willen proppen. Bill ook, vooral Bill. Ze zou ze in nette rijen zetten zodat er zoveel mogelijk in pasten en dan terugsturen naar waar ze vandaan kwamen. Ze zou die boot zelf van de kant willen duwen, ze zou het water in lopen, zelfs als het pijn deed, zelfs als het ijskoud was. Ze wilde ze allemaal ver, heel ver in het blauwe water duwen, en dan wilde ze blijven kijken tot ze zeker wist dat ze voorgoed waren verdwenen.

Pater Bill schrok toen hij het klaslokaal naderde en er gelach uit hoorde komen. Hij bleef bij de deur staan luisteren, maar hoorde alleen maar gedempte stemmen die hij niet herkende. De rolgordijnen waren dicht en het lokaal leek donker. Hij was een uur te laat en nu had hij spijt van zijn bravoure van die ochtend, toen hij dacht dat hij de school naar believen in en uit kon lopen. Hij stond met zijn hand op de deurkruk en wist niet wat hij moest doen. Daar klonk dat gelach weer. Die stemmen kende hij: dat waren Uncle Rico en Kip. Hij kon het niet geloven. Hij deed de deur met een zwaai open en daar waren ze, zijn lievelingsfiguren: Pedro, Deb en Napoleon uit *Napoleon Dynamite*, die pruiken aan het uitkiezen waren. De kinderen lachten. Zelfs Mlilo, Mlilo lachte ook. Het duurde even voor ze merkten dat hij binnen was gekomen, maar toen sprongen ze allemaal op om hem te begroeten. Moya begon uit te leggen dat ze de film had meegenomen, zoals hij de vorige dag had gevraagd, en dat ze op hem hadden gewacht om te vragen of het goed was, maar na een tijdje hadden gedacht dat ze maar vast moesten beginnen met de reclames zodat ze op ideeën zouden komen voor nog meer films die ze konden bekijken, maar dat hij er nog steeds niet was toen de hoofdfilm begon en dat ze toen maar waren blijven kijken, en of hij dat niet erg vond.

'Poeh, dat was een hele mondvol.' Hij grinnikte. 'Natuurlijk is dat goed! Let op, anders mis je de mooiste stukken!'

Films kijken was een grote hobby van pater Bill, waar hij dol op was geworden vanwege de simpele attributen, pizza en popcorn, en omdat hij er alles bij kon vergeten. De emoties waren echt, vaak moest hij van zielige films huilen, maar ze waren tenminste vergevingsgezind, en altijd bereid om achtergelaten te worden als hij de bioscoop verliet. Hij had eens bijgehouden hoeveel uur per maand hij naar films keek. Gemiddeld twee per dag, dat was dus ongeveer drie uur, wat neerkwam op zo'n eenentwintig uur per week. Bijna vier etmalen per maand, anderhalve maand per jaar. Tijd die hij veel beter kon besteden aan een of andere meditatie, aan gebed, studie of misschien biecht. Dat was een ding dat zeker was.

Hij schrok op uit zijn overpeinzingen toen het opeens stil werd in het lokaal. Hij zag dat Moya de film had stopgezet en dat ze zich allemaal hadden omgedraaid en naar hem keken.

'Pater Bill, het is vijf uur,' zei Moya.

‘O, man!’ riep pater Bill speels uit. ‘En jullie hebben nog niet eens de dansscène gezien.’

Zulwini begon te giechelen.

‘We zouden nog een stukje kunnen kijken en wat later weggaan,’ zei Moya zacht.

Pater Bill weifelde. Eigenlijk mochten ze helemaal geen films kijken. ‘Ik weet niet, Moya. En je ouders dan?’

‘Die kan ik wel sms’en.’

‘En jullie?’ vroeg hij aan de rest.

‘Ik kan mijn chauffeur ook sms’en,’ antwoordde Zulwini giechelig.

‘Ik ook,’ zei Ndudumo zacht.

Ze keken allemaal afwachtend naar Mlilo. Hij haalde zijn schouders op. ‘Ik zou mijn chauffeur ook wel een sms kunnen sturen,’ mompelde hij.

‘Goed dan!’ riep pater Bill enthousiast uit, zonder te letten op het plotselinge ongemakkelijke gevoel dat hij kreeg. ‘*The show must go on*, jongens!’

Toen Mohumagadi te laat bij de dagopening arriveerde, maakte ze geen verontschuldigingen. Ze gaf zelfs miss L. geen verklaring, terwijl die haar met grote, vragende ogen aankeek maar wijselijk haar mond hield. Mohumagadi wilde zich tegenover niemand verontschuldigen voor wat dan ook. Zelfs als ze een fout maakte, wat zelden het geval was, was het niet haar bedoeling om iemand kwaad te doen, dus vond ze het ook niet nodig om een verklaring af te leggen.

Er waren veel verontschuldigingen waar zij recht op had maar die ze nooit had gekregen. Er was haar onrecht aangedaan, maar degenen die daar verantwoordelijk voor waren hadden er met geen woord over gesproken. Ze waren gewoon doorgegaan met leven, hadden niets gevoeld, geen wroeging, geen gewetensnood, geen zelfverwijt, ze waren haar vergeten, terwijl zij nog steeds op een verklaring wachtte.

Zodra de film afgelopen was, zei Mlilo dat zijn chauffeur wachtte en of hij kon worden geëxcuseerd. Pater Bill had gehoopt dat ze nog even over de film konden napraten, misschien nog konden terugspoelen naar een paar grappige stukjes, maar Mlilo zat op hete kolen. Pater Bill realiseerde zich dat het een beetje onverantwoordelijk van hem was om de kinderen nog langer te laten blijven, dus hij zei dat ze weg mochten.

Zulwini rende op hem af, omhelsde hem, vloog het lokaal uit en riep nog iets over zijn chauffeur die al vanaf vijf uur zat te wachten.

Pater Bill pakte de apparatuur in. Opnieuw voelde hij zich schuldig, en dat was een vervelend, kriebelig gevoel. De dvd-speler leek zwaarder dan eerst, en het kostte moeite om hem door het lokaal te dragen. De meisjes zagen dat waarschijnlijk, want ze schoten hem te hulp. Zijn handen waren zweterig, net als op de eerste dag op deze school. Nu het ijs gebroken was, vroeg hij zich af of hij het vertrouwen van de kinderen wel waard was, en of hij daar wel op de best mogelijke manier gebruik van maakte.

Ndudumo trok het snoer uit het stopcontact en gaf het aan hem, het was het laatste wat nog opgeruimd moest worden. Moya zei dat ze nog even terug zou komen om te helpen de ramen te sluiten, maar ze moest eerst naar de wc. Dat vond hij natuurlijk niet erg, zei hij met een lach. Wat hij wel erg vond was dat ze steeds aan hem vroegen of hij iets erg vond. Ndudumo wilde ook vertrekken, maar bij de deur draaide ze zich aarzelend om.

'Alles goed, Ndudumo?' vroeg hij. Ze ontweek al de hele dag zijn blik, en eerlijk gezegd had hij ook niet veel moeite gedaan om haar aan te kijken.

'Gaat u Mohumagadi vertellen wat er gisteren is gebeurd?' vroeg ze hem.

'Wil je dat?'

'Maakt me niet uit.' Haar ogen vulden zich met tranen.

'Ik zal het niet doen, als je het niet wilt.'

Ze zweeg. Ze bleven allebei roerloos staan.

'En mijn moeder?' vroeg ze, deze keer wat minder dapper.

'Niet als je dat niet wilt.'

Ze schudde langzaam haar hoofd.

'Dan zal ik het niet doen.'

Moya kwam het lokaal weer binnen. Ndudumo stak nog even haar hand op en vertrok haastig.

Pater Bill en Moya sloten samen de ramen, zetten de stoelen op de tafels zodat de schoonmakers gemakkelijker de vloer konden vegen, en toen deed hij het licht uit. Hij vroeg zich af of Moya bleef dralen omdat er geen chauffeur of ouder op haar wachtte, maar hij zei er niets over, hij genoot van haar gezelschap en wilde de sfeer niet verstoren. Moya was vanaf het begin de gemakkelijkste geweest. Ze was op haar hoede, dat waren ze allemaal, maar hij had nooit het gevoel gehad dat ze een hekel aan hem persoonlijk had, zoals sommige anderen. Hij keek naar haar terwijl ze haar schooltas inpakte. Ze was heel voorzichtig en zorgvuldig. Ze had heel kleine handen voor zo'n lang meisje, heel zorgvuldige handen die geen fouten maakten. Alles kreeg keurig een plaats in die tas en er werd geen stukje papier verkreukeld. Hij wachtte tot ze wegging, maar dat deed ze niet. Ze liep zwijgend met hem mee naar de parkeerplaats. Dat vond hij niet erg. Hij zei niets en zij gaf geen verklaring. Toen ze op de parkeerplaats waren wist hij niet goed wat hij moest doen. Alleen zijn auto stond er nog en hij vroeg zich af of ze het misschien vervelend vond om te zeggen dat haar ouders te laat waren. Hij ging op een muurtje zitten en zij kwam naast hem zitten.

'Hoe ben je eigenlijk in mijn nablijfklas terechtgekomen, Moya?' vroeg pater Bill. Hij was van plan om een luchtig gesprekje te beginnen over automerken, televisieseries of strips, maar toen hij zijn mond opende glipten die woorden eruit. Ze sloeg haar ogen neer en hij had meteen spijt van zijn vraag.

'Omdat ik me heb misdragen, pater Bill,' zei ze na een tijdje.

'Misdragen?'

Ze keek nog steeds naar haar handen. 'Ja, pater Bill.'

Hij wachtte af. Misschien zou ze doorgaan, hem nog meer vertellen.

'Ik heb me onzedelijk gedragen, pater Bill.'

'Onzedelijk? Nou, dat klinkt ernstig,' zei hij lachend, een lach die gevolgd werd door een grinnik waar zij om moest lachen. 'Wat was dat dan voor onzedelijks?' vroeg hij voorzichtig.

Na een tijdje zei ze: 'Ik heb mijn rok opgetild en de jongens laten kijken.'

'Waarnaar laten kijken, Moya?' Wist hij dat niet? Natuurlijk wel. De stilte die volgde, was een opening om dit gesprek te beëindigen. Als hij zich niet in deze school vergiste, waren deze kinderen al het hele weekend in speltherapie. Ze zaten er echt niet op te wachten dat hij ook nog eens ging zitten vissen. Maar hij zweeg, tegen beter weten in, bood haar geen uitweg en wachtte op haar antwoord.

'Mijn geslachtsdelen, pater Bill,' fluisterde ze na lange tijd.

'Hadden ze gevraagd of ze je geslachtsdelen mochten zien, Moya?'

'Nee, ja, nee, ik bedoel, nee, dat hebben ze niet gevraagd. We hadden gewoon afgesproken dat we ze elkaar zouden laten zien.'

'Afgesproken?'

'Ja, dat hadden we afgesproken.'

'Wiens idee was dat?'

'We hadden het samen bedacht, pater Bill.'

'Jullie allemaal?'

'Ja, pater Bill.'

Moya zwaaide met haar lange benen. Hij deed hetzelfde. Ze keek hem aan en glimlachte. Hij glimlachte ook. Een vrachtwagen die de heuvel af kwam scheuren bleef met piepende remmen staan omdat de chauffeur het stoplicht pas op het laatste moment zag.

'Ik weet best dat we dat niet in de bus hadden moeten doen, maar de anderen zeiden dat we de tijd goed moesten benutten,' zei ze zacht, met afgewende blik.

Hij snapte het niet helemaal, dus zweeg hij en liet haar doorpraten.

'Ik was bang.'

'Waarvoor?' vroeg hij.

Ze haalde haar schouders op.

'Ik zou ook bang zijn als mijn onderbroek achter in een schoolbus op de grond lag,' zei hij. Hij probeerde luchtig te klinken.

'Het is niet grappig.' Deze keer lachte Moya niet.

'Je hebt gelijk, dat is het niet. Sorry, ik plaag je maar wat.' Hij wilde haar niet van streek maken, maar eerlijk gezegd vond hij het hele voorval niet zo vreselijk. Het waren nog maar kinderen en ze waren toch niet betrapt op seksuele handelingen? Was dit geen normaal onderdeel van hun ontwikkeling? Puberale nieuwsgierigheid?

Moya begon zacht te snikken. Hij probeerde haar te troosten door haar rug te strelen, maar dat voelde raar, dus hij hield ermee op, probeerde haar aan het lachen te maken door weer met zijn benen te zwaaien zoals eerder. Maar dat lukte niet.

'Heb je er spijt van?'

'Natuurlijk heb ik er spijt van, pater Bill. Wie wil er nou meer dan een maand de hele middag met u in een nablijfklas zitten?'

Haar woorden waren als een glas ijskoud water dat in zijn gezicht werd gegooid. Zijn klas was voor hen dus toch een nablijfklas, een plek waar niemand wilde zijn en die iedereen in het vervolg zou proberen te vermijden. Hij was een leraar en het was zijn taak om te worden gevreesd en gehaat. Door die middag samen met de kinderen te lachen en naar een film te kijken, was hij vergeten dat dit hier voor hem ook een straf moest zijn.

Moya merkte dat ze hem met haar woorden misschien beledigd had. Ze haakte zijn arm door de zijne en zei: 'En natuurlijk omdat meisjes niet aan zulke dingen mogen denken. Nette meisjes in elk geval niet, en niet zo vaak. Hoewel ik nooit aan zulke dingen dacht.'

'Wat voor dingen?'

'Die seksdingen,' fluisterde ze. 'Die Ndudumo doet.'

'Die Ndudumo doet?'

'Ndudumo doet dat de hele tijd. Er was een keer een man met hiv die met zo'n poster met handen in allerlei kleuren op school kwam vertellen over dat soort dingen. Hij vroeg welke meisjes het al doen, maar niemand wilde dat zeggen, want wat zouden de mensen daarvan denken? Maar Ndudumo wel, Ndudumo stak haar vinger zo hoog mogelijk in de lucht. Ze keek niet eens om zich heen om te zien wie dat nog meer deed. Ze keek recht vooruit en stak haar vinger zo hoog mogelijk op. Sinethemba zei: "Triest. Echt goor, Ndudumo, je moet zorgen dat je een echt vriendje krijgt." Maar Ndudumo keek niet om. Ze zat daar maar met haar vinger in de lucht alsof ze er trots op was.'

'Misschien is ze dat ook wel.'

'Ze zegt dat het volgens haar moeder gezond is en dat die zegt dat meisjes zichzelf elke dag moeten onderzoeken om te zien hoe ze groeien, en ook dat ze zichzelf moeten aanraken. Ze zegt niet hoe, maar dat je het vanzelf merkt als je het eens probeert.' Ze draaide zich naar hem toe en keek hem aan. 'Ik vind dat allemaal zo wellustig, alsof ze nergens anders aan denkt. Mijn moeder zegt dat een meisje 's ochtends moet bidden, maar hoe kun je bidden met plakkerige vingers?'

Daar wist hij geen antwoord op.

'Haar moeder doet het soms zelfs als ze tv-kijken en volgens Ndudumo stopt ze haar vinger er soms zelfs in. Ik heb dat een keer op de wc geprobeerd, maar dat was heel smerig en het deed pijn; ik snap niet hoe de moeder van Ndudumo tegen haar eigen dochter kan zeggen dat ze zulke dingen ook moet doen. Geeft ze dan niks om haar? Wat als ze een slet wordt en zwanger raakt? Daar maak ik me nog het meeste zorgen om.'

Hij knikte.

'Pater Bill?'

'Ja?'

'Schrijf dat allemaal maar niet op in uw boek. Dat boek dat u altijd bij u hebt. Schrijf het daar maar niet in. Het is haar schuld niet, het is de schuld van haar moeder. Haar moeder is gestoord. Een psychopaat, net als haar vader.'

Hij knikte. Zijn dagboek. Het was ze opgevallen, terwijl hij er niet eens zo vaak in schreef, en al bijna nooit als hij bij hen was. Een psychopaat. Volgens de simpele definitie iemand met een chronische psychische stoornis. Een antisociaal persoon, die een gevaar vormt voor de maatschappij. Maar geen moeder die er onconventionele ideeën op na houdt over seks, hoewel dat misschien ook wel een gevaar vormde voor de maatschappij. Inmiddels werd het donker en begon het te waaien. Pater Bill vroeg zich af waar de ouders van het meisje bleven.

Toen Mohumagadi naar huis reed, herinnerde ze zich de man die ze die ochtend in het water had gezien. Ze kreeg weer het gevoel dat ze als jong meisje ook vaak had gehad: het plotselinge besef dat jij jij bent, en zij zij. Dat jij dit bent, dat dit alles is wat je bent, dit is je leven, en wat je ook doet: je kunt daar niet buiten komen, je zit in je hoofd en je zit vast, en zij hebben zelf een hoofd, en jullie kunnen niet ruilen. Altijd als ze dat dacht, fronste ze haar wenkbrauwen, want ze kon die gedachte niet uit haar hoofd zetten. Hoe meer ze dat probeerde, hoe dichter haar wenkbrauwen elkaar naderden, en haar ogen, die naar de rechterbovenkant van haar hoofd draaiden, dreigden los te raken en naar achteren te schieten. Daarom dacht ze in plaats daarvan aan de man in het water met zijn boot. Maar steeds als ze zich hem probeerde voor te stellen, zag ze pater Bill voor zich, pater Bill met opgerolde broekspijpen en roze voeten in het koude water, een T-shirt dat los om zijn middel hing en zacht wapperde in de wind. Ze kromde haar rug toen ze een warme rilling langs haar ruggengraat naar beneden voelde gaan, tot tussen haar benen waar ze een plotseling genot diep in haar binnenste voelde. Kleine tintelingen dansten tussen haar dijen. Ze zette de radio aan en probeerde het warme gevoel, dat maakte dat ze haar benen wilde spreiden, van zich af te schudden. Ze zette het geluid harder toen ze voelde dat haar handpalmen vochtig werden op het stuur. 'Wat primitief,' zei ze tegen zichzelf. En meteen was haar verlangen verdwenen.

Pater Bill hoorde voetstappen naderen. Het waren de bewakers.

'Molweni,' zeiden ze alle drie tegelijk. Ze gingen om hen heen staan.

'Ntombazana, hoeven we vandaag geen taxi voor u te bellen?' vroeg een van de drie aan Moya.

'Het is te laat om hier te blijven zitten,' zei de tweede, die net als de eerste pater Bill negeerde.

'Het is hier niet veilig voor een jong meisje in haar eentje,' ging de eerste verder.

'Je kunt tegenwoordig niemand vertrouwen,' vulde de tweede aan.

'Zelfs geen mensen die er betrouwbaar uitzien,' zei de derde bewaker, die nog niets had gezegd maar pater Bill een beetje achterdochtig bekeek.

'*Ndizam'fowunela* Tata, we hadden het alleen nog even over wat we vanmiddag in de les hebben gedaan. Dank u, maar maken jullie je geen zorgen om mij, ik zit hier veilig,' zei Moya lief.

Wat Moya ook had gezegd, pater Bill kon merken dat de bewakers niet tevreden waren, want ze bleven in de buurt, bromden wat naar elkaar en schudden heftig het hoofd. Na een tijdje liepen ze door, nadat ze eerst met hun zaklamp in zijn gezicht geschenen hadden.

'Wat is er aan de hand, Moya?' vroeg hij. 'Is je moeder al onderweg?'

Ze schudde haar hoofd. 'Mijn moeder komt na het donker niet graag buiten, pater Bill.'

'Maar wie haalt je dan op?'

'Niemand, ik bel gewoon een taxi.'

'Moya!' Hij sprong op. 'Waarom heb je dat niet eerder gezegd?'

'Sorry. Ik wilde ook graag die film zien.'

Zijn hart begon te bonzen. Wat had hij gedaan? Hij greep haar hand en trok haar mee naar de auto. 'Kom, schiet op. We moeten je snel thuisbrengen.'

Met haar andere hand pakte ze haar tas en ze liep achter hem aan. De zaklantaarns van de bewakers volgden hen.

'Ik moet even tegen ze gaan zeggen dat u me naar huis brengt, pater Bill,' zei ze. Ze draaide zich om en rende terug.

Ze bleef een tijdje weg, en toen ze eindelijk terugkwam, liep een van de twee mannen met haar mee. 'Brengt u dit meisje naar huis?'

'Ja,' antwoordde pater Bill.

De bewaker scheen met zijn zaklamp in zijn gezicht. Pater Bill kon niets zien en zijn ogen begonnen te tranen, maar de bewaker bleef schijnen totdat pater Bill uitriep: 'Ik breng haar meteen naar huis, bij mij is ze veiliger dan bij een of andere taxichauffeur.'

De bewaker knipte zijn zaklamp uit, mompelde iets en liep weg.

'Kom, stap in.' Ze reden weg; hij kende deze buurt niet zo goed, maar ze leek eraan gewend om bestuurders de weg te wijzen.

'Waarom heb je niets gezegd, Moya? Ik had je al veel eerder naar huis kunnen brengen. Je moeder is vast in paniek. Waarom zat je de hele tijd bij me zonder iets te zeggen?' Hij was erg van streek, maar deed zijn best om dat niet te laten merken.

'Sorry, pater Bill. Ik wilde een taxi bellen als u weg was.'

'Een taxi? Een taxi, Moya? Op dit tijdstip? Dat is toch gevaarlijk? Weet je moeder wel dat je zulke dingen doet?'

'Ik zeg altijd dat ik met een vriendin ben meegereden.'

'Waarom heb je dat dan niet gedaan?'

Ze haalde haar schouders op. 'Zo is het gewoon gemakkelijker. En het is alleen als ik later uit school kom. Mijn moeder vindt het niet leuk om na donker nog buiten te komen.'

Ze reden een tijdje zwijgend verder.

'Ze verzint uitvluchten, pater Bill. Ze liegt tegen mensen dat ze 's avonds vergaderingen heeft, ze liegt tegen mij over haar ogen in het donker, dat ze niet goed kan zien, maar ze is gewoon bang.'

'Waarvoor?' vroeg hij, nog steeds geërgerd.

'*Ag*, je weet wel, misdaad en zo.'

'Iedereen is bang, Moya.'

'Maar ma is veel banger dan anderen. Ze is zelfs nog banger dan de blanken, en daar schaamt ze zich dan voor. We zijn pas vorig jaar teruggekomen uit Zwitserland en ze is daarna heel erg veranderd. Ze doet altijd de portieren op slot en kijkt op de achterbank voordat ze wegrijdt. Ze denkt altijd dat er iemand achterin zit. Ze doet haar slaapkamerdeur op slot sinds ze heeft gehoord dat een op de vier vrouwen in dit land wordt verkracht. En ik moest bij haar op de kamer slapen na de verkrachting van baby Tshepang.'

'Waarom waren jullie in Zwitserland?'

'Mijn moeder is diplomaat. Het was...' Ze zweeg even. 'Het was daar veel beter, pater Bill. Ma zegt dat ik dat niet mag zeggen. Maar het is wel zo. In Zwitserland was het beter dan hier. Laatst had ik zo'n honger omdat ma naar een of andere conferentie in het buitenland moest, toen kwam ze me vanaf het vliegveld ophalen, ze was heel laat maar dat had ze niet gezegd, anders had ik wel een taxi gebeld of zo, en ik had zo'n honger. Dus toen vroeg ik of we onderweg bij de Pizza Shack een pizza konden halen, en dat deden we, dus ik was zo opgelucht toen ze ons die pizzadoos gaven en we naar de auto terugliepen. Ik dacht: Nu kan ik eindelijk eten, maar toen zei ze dat ik de pizzadoos in de kofferbak moest leggen bij de boodschappen omdat ze bij de stoplichten soms je ruit kapotslaan en spullen uit je auto pakken, en ze wilde geen problemen. Ik ging dóód, pater Bill, want ik weet en zij weet ook hoe lang je soms vastzit in het verkeer en waarom hadden we dan een pizza gekocht voor onderweg als we die niet eens onderweg op mochten eten? En je ruit inslaan bij een stoplicht? Dat is zo'n onzin, want ook al staan zulke mannen daar, die hoeven echt geen pizza, daar slaan ze echt je ruit niet voor in. Dus ik begon tegen haar tekeer te gaan, ik zei als ze zo doodsbang is voor die zogenaamde misdaad, waarom we dan niet uit dit stomme land verhuizen? Toen gaf ze me een klap, waar al die mensen bij waren, al die auto's daar op de parkeerplaats, en ze zei dat ze niet wilde dat haar kind een snob was.'

'Wat naar voor je, Moya.'

'Het kan me niks schelen. Zodra ik de kans krijg, ga ik hier weg. Ze dacht dat ik er wel anders over zou gaan denken als ze me naar deze school stuurde, maar dat is niet zo. Ik ben er trots op dat ik zwart ben, maar daar kan ik in Zwitserland ook wel trots op zijn. En weet u wat het ergste is, pater Bill? Ik ben niet eens degene die bang is. Dat is ze zelf! Zij zit altijd te klagen als ze weer een krantenkop leest over vrouwen die de bosjes in gesleurd worden en een bierflesje in hun achterste geduwd krijgen. Ze zegt dat alleen blanke mensen bang zijn. Ik heb haar een keer gehoord toen ze op dat balkon van haar stond en tegen de wolken mopperde dat alleen blanken klagen over misdaad, dat alleen blanken emigreren. Ze denkt dat het haar niet zal overkomen als ze maar bidt. Maar als het één op de vier is, dan moet zoiets toch iemand overkomen? En als het haar niet overkomt, wie dan wel? Mij? No way. Ze zei een keer dat als zoiets gebeurt, we het maar moeten accepteren en activisten moeten worden of zo. Of boeken moeten gaan schrijven. Bang zijn is geen optie, zei ze, zelfs niet als je zwart bent. Weglopen is ook geen optie. Zelfs niet naar Knysna of George of waarheen ook. Nee, je moet gewoon in de stad blijven en het volhouden, in het belang van het volk.'

'Zei ze dat echt?'

'Niet precies zo, maar dat bedoelde ze wel, pater Bill. Ik weet wel dat u in God en zo gelooft, maar sommige dingen snap ik echt niet. Hoe kan het dat God sommige mensen wel beschermt en andere niet? Tenzij Hij lievelingetjes heeft die Hij voortrekt, maar dat mag toch niet? Maar als Hij geen lievelingetjes heeft, hoe kun je dan verwachten dat Hij je beschermt? Als alle meisjes verkracht worden behalve jij, wat zegt dat dan over Zijn liefde? Zo denk ik erover, pater Bill. En ik hoef zulke liefde niet. Ik ga niet mijn hele leven besteden aan smeekbedes aan God om iets wat Hij me misschien wel of misschien niet gaat geven. God is toch al ontzettend verwaand.'

Kolossale muren met torenhoge ijzeren hekken, doornstruiken, een gracht om het terrein en elektrische bedrading die als klimop de muren bedekte. Een poort waar je met een wachtwoord doorheen kon, een afgesloten terrein met machtige gebouwen die ontoegankelijk leken. Hij wachtte tot Moya via de intercom de bewaking had gesproken; daarna zoomde de camera in op hem en vervolgens op haar, de hekken zwaaiden langzaam open en klapten snel achter hen weer dicht. Bewegingsmelders volgden elke beweging die ze maakten.

Voordat ze uitstapte draaide Moya zich naar hem om en zei: 'Die onschuldige jongens en meisjes die wel iets overkomt bidden vast ook. Misschien zelfs wel meer dan ik, dus wat heeft het eigenlijk voor zin?'

Daar had pater Bill niets op te zeggen. Hij wist dat het wel zin had, dat het heel veel zin had, maar toen ze hem aankeek met die grote ogen die smeekten om de waarheid, glipte wat hij wilde zeggen uit zijn hoofd, viel op de grond en rolde weg.

Toen hij wegreed, vol zelfverwijt omdat hij geen antwoord had op de simpelste vragen, zag hij iemand op het balkon staan die hem nakeek.

20 maart

Lieve God,

Die kinderen zijn totaal anders dan wij vroeger waren. Ze zitten vol complexen, ze dragen een groot kruis waar ze niets van begrijpen. Als hobby gaan ze op zoek naar oorzaken en ideologieën, naar de zin van een strijd die allang gestreden is. En terwijl ze druk bezig zijn met Biko-shirts printen en dreadlocks laten groeien, gaat hun eigen strijd aan hen voorbij.

Bill

Mohumagadi had die nacht een vreemde droom. Of eigenlijk leek het meer op een herinnering, terwijl ze sliep. Een herinnering aan een dag uit haar jeugd, in de kerk. Maar in de droom was ze volwassen. Bill en de kleine Mlilo waren er ook bij, en de paters natuurlijk, de paters die er altijd bij waren, die altijd overal waren. In die droom liep ze glimlachend naar hen toe, in de glitterjurk die mama Twiggy elke avond voor haar waste zodat ze hem de volgende dag weer aan kon.

'Vrolijke Vastenavond,' zei ze als begroeting.

'Is het vandaag Vastenavond?' vroeg Bill.

'Ja.' Ze ging zitten. 'Pasen valt dit jaar wel heel vroeg, hè?'

'Wat is Vastenavond?' vroeg Mlilo aan haar.

Ze keken haar allemaal aan en wachtten op een antwoord. Ze zweeg. Ze wist het niet. Ze vierde het gewoon, net als alle andere feestdagen van de kerk.

'Je weet wel, de dag voor Aswoensdag,' zei ze snel.

De paters moesten lachen, en Bill ook. Mlilo keek haar fronsend aan, schudde zijn hoofd en liep weg. De paters en Bill bleven maar lachen. Daarom raapte ze een steen op en gooide die naar God, want het was allemaal Zijn schuld.

Pater Bill probeerde na de dagopening ongemerkt weg te glippen naar zijn auto toen hij Zulwini vastberaden op zich af zag komen door de menigte kinderen van de eerste tot de zevende klas die ook uit de aula kwamen. Hij ging sneller lopen en deed alsof hij de jongen niet gezien had. De vorige dag had zijn plan heel goed gewerkt: hij was na de dagopening terug naar huis gegaan, naar zijn pyjama, pizza, popcorn en tv. Niemand scheen er iets van te hebben gemerkt en het kon ze klaarblijkelijk ook niks schelen, want niemand had er iets over gezegd. Maar Zulwini was vastberaden om hem in te halen. Hij ging steeds sneller lopen en pater Bill hoorde al zijn 'Sorry' en 'Mag ik er even langs'. Vlak voordat hij de hoek om kon slaan en naar de uitgang kon lopen, begon Zulwini hem te roepen: 'Pater Bill, pater Bill, wacht even!'

Hij minderde vaart en draaide zich om. Met een rotgevoel. Als het een van de andere kinderen geweest was, zou hij dolblij zijn, maar Zulwini... Wat was er toch aan die jongen dat hem zo'n ongemakkelijk gevoel gaf? Misschien was hij jaloers op hem, op zijn geloof, zijn zorgeloze blinde geloof. Of gaf de jongen hem een schuldgevoel, herinnerde hij hem aan de dingen die hij eigenlijk zou moeten doen, het soort leven dat hij zou moeten leiden. Wie zou het zeggen? Die jongen gaf hem een ongemakkelijk gevoel en daarom ontweek hij hem.

'Goedemorgen, pater Bill. Tjee, ik dacht dat ik u nooit zou inhalen. Wat loopt u hard!'

Pater Bill glimlachte. Hij voelde zich schuldig. Zulwini was eigenlijk best een lieve jongen. Hij haalde diep adem en zei: 'Als je de kans krijgt, kan een beetje lichaamsbeweging nooit kwaad.'

'Dat is waar! Daar heb ik nooit aan gedacht. Dat moet ik ook eens gaan doen.'

Pater Bill lachte schaapachtig.

'Waar ging u eigenlijk heen, pater Bill?'

'Naar mijn klas, Zulwini,' zei hij met tegenzin nu zijn mooie plan om weer naar huis te gaan in duigen viel.

'Wat doet u daar eigenlijk de hele ochtend, pater Bill?'

Hij kreeg een knoop in zijn maag. Hij wilde niet tegen Zulwini liegen, maar hij kon ook niet tegen hem zeggen dat hij er na de dagopening stiekem vandoor ging om thuis op de bank films te kijken die hij al honderden keren gezien had.

'O, gewoon, van alles,' antwoordde hij.

'De Bijbel lezen en zo? Miss L. zei dat u dvd's over het geloof kijkt. Heel cool! Mag ik alstublieft meekijken?'

Pater Bill schrok. Hij was vergeten dat hij daar ook over had gelogen en hij had niet gedacht dat iemand anders dan Mohumagadi dat wist, wat dom van hem was omdat ze natuurlijk had moeten verantwoorden waarom ze een nieuwe dvd-speler voor zijn klas wilde aanschaffen. Nu moest hij dan maar een paar christelijke dvd's gaan kopen, wat dat dan ook mochten zijn. Hij moest ernaar op zoek en ze gaan bekijken. Stiekem wegglippen ging niet meer.

'Moet je niet naar de les, Zulwini?' Ze waren bij

zijn klas en de jongen liep hem nog steeds met zijn vragen lastig te vallen.

'Ja, maar ik ga nooit naar die les.'

'Waarom niet?'

'Meneer Semenya is een atheïst,' fluisterde Zulwini.

Dit was precies waarom hij die jongen ontweek: hij was volstrekt belachelijk. Pater Bill lachte in zichzelf, en hoe meer hij zijn hoofd schudde en erover nadacht, hoe grappiger hij het eigenlijk vond. 'Heb je weleens gehoord van de uitdrukking dat je niet je eigen ruiten in moet gooien, Zulwini?'

'Ik krijg in plaats daarvan bijles,' reageerde de jongen. Hij deed de deur open van het klaslokaal en trok twee stoelen onder een tafel vandaan.

'En dat vindt Mohumagadi goed?'

'Ze moet wel. Ik weiger gewoon om zijn lessen bij te wonen. Maar ik lever alle opdrachten op tijd in en ik krijg goede cijfers voor de proefwerken.'

'En de andere leraren? Ik dacht dat je zei dat jij de enige christen op school was.'

'Nu niet meer. U en ik zijn wel de enige actíéve christenen.' Hij haakte zijn arm door die van pater Bill en bracht hem naar zijn stoel.

'En de andere leraren?'

'Die zijn eerder agnostisch dan atheïst. Maar meneer Semenya zeurt er altijd over door. Hij is nog erger dan mijn moeder. Ik krijg dat thuis ook allemaal al te horen, maar hier wil ik dat niet. Bovendien geeft hij heel saai les. Mijn bijlesjuf is nog maar eenentwintig, maar ze geeft beter les dan hij.'

Pater Bill was verbijsterd. Hij schudde nog eens zijn hoofd en vroeg zich af wat hij hier nu van moest vinden. Om de een of andere reden moest hij denken aan oom Eugene, de chauffeur die hen elke dag naar school bracht toen ze nog bij de kerk woonden – Eugene met zijn *bakkie*. Ze zaten met zijn allen achterin en oom Eugene liet ze psalmen zingen, de verzen en de refreinen. Het was een en al lofzang onderweg van C5 naar Naledi. Hij herinnerde zich de jongen die het allemaal een beetje té leuk vond, die net iets te hard zong: de Billy die de leiding van het koortje op zich nam, die de sopranen aan de ene kant in het bakkie zette en de tenoren aan de andere kant. Hij scheurde de bladzijden uit de psalmboeken in de kerk en nam ze elke ochtend mee voor de repetitie. Hij herkende zichzelf niet meer in die jongen, hij had al lange tijd niet meer aan hem gedacht en hij vroeg zich af waar hij hem onderweg was kwijtgeraakt.

Toen Mohumagadi na de dagopening terugkwam op haar kantoor, stonden de drie bewakers op haar te wachten. Ze zeiden dat de bewakers van de avondploeg hun iets heel belangrijks hadden verteld en dat ze dat meteen aan haar wilden doorgeven en geen tijd wilden verspillen.

Mohumagadi vroeg ze om binnen te komen, want zo hoorde het nu eenmaal, en miss L. vroeg wat ze wilden drinken. Toen ze zaten, begonnen ze weer van voren af aan met hun begroetingen. Mohumagadi informeerde naar hun familie en hun gezondheid, en ze lachten samen over het voetbal van het afgelopen weekend. Pas toen de theekopjes leeg waren en er van de koekjes alleen nog kruimels over waren, kwamen ze met de werkelijke reden van hun bezoek voor de draad.

'De collega's van de avondploeg waren zeer ontstemd toen ze vanochtend vertrokken, Mohumagadi,' begon de oudste bewaker.

'Ze waren ook erg bezorgd, Mohumagadi,' voegde de tweede eraan toe.

'Zeer bezorgd,' benadrukte de oudste.

'Ze waren helemaal niet blij toen wij hier vanochtend kwamen, Mohumagadi,' onderstreepte de ander nog maar eens voor het geval ze niet had begrepen hoe bezorgd en ongelukkig de nachtwakers geweest waren.

'Heel veel rimpels hadden ze, Mohumagadi, en hun ogen stonden donker.'

'*Boobhuti yintoni? Kwenzeke ntoni*?' vroeg Mohumagadi.

'Ze zeiden dat ze een van de blanke kinderen bij de blanke man in de auto hadden zien stappen. Ze probeerden het meisje tegen te houden, maar zij beweerde bij hoog en bij laag dat hij haar naar huis bracht.'

'Ze wilden haar niet laten gaan,' voegde de andere eraan toe.

'Maar wat konden ze doen?' vroeg de oudste.

'Ze waren heel bezorgd, Mohumagadi.'

'De hele nacht hebben ze zich zorgen gemaakt,' zei de oudste man hoofdschuddend.

'Zorgen om dat meisje.'

'Ze wisten niet of ze het wel goed hadden gedaan, Mohumagadi.'

'Maar het was een lid van de staf, die blanke man,' zei de jongste bewaker, die nog niets had gezegd. Het klonk eerder uitdagend dan mededelend, maar Mohumagadi negeerde zijn toon.

'Het was een lid van de staf, dus wat konden ze doen?' herhaalde de oudste met een diepe zucht.

'Mntambo is de achternaam, Mohumagadi,' zei de andere, die een pen tevoorschijn haalde. 'Dat heb ik op het nummerbord van haar moeder gezien.'

'Ze neemt altijd een taxi naar huis, omdat haar moeder het veel te druk heeft,' ging de oudste verder met een veelbetekende blik in zijn ogen.

Mohumagadi verzekerde de twee dat ze de zaak zou onderzoeken. Ze schudde hun de hand en bedankte ze persoonlijk, noemde ze bij hun naam, want zo hoorde dat. Ze zei dat ze het er met de nachtwakers over zou hebben. En toen de oudste bewaker voorstelde dat ze misschien een workshop kon organiseren waarin ze konden leren hoe ze in het vervolg met zo'n situatie om moesten gaan, prees ze hem voor dat geweldige idee.

Toen ze waren vertrokken, nam ze zich voor om het er met pater Bill over te hebben. Ze had hem in geen drie dagen gezien en was eraan gewend geraakt hem niet zo meedogenloos te controleren. Ze had zichzelf ervan overtuigd dat ze zich nergens zorgen over hoefde te maken en haar bezorgdheid was wat afgenomen. Miss L. had gisteren nog tegen haar gezegd dat ze van een van de schoonmakers had gehoord dat pater Bill na de dagopening de school uit was gelopen, maar ze had geen acht geslagen op die roddels. Het was een hectische tijd, op school en in het land. Nu de verkiezingen naderden had ze beloofd een aantal artikelen te schrijven, maar ze was daar nog steeds niet aan toegekomen. 'De favoriete kandidaat van de kinderen', 'De kinderen en de verkiezingen: hoe begeleidt u uw kinderen bij de spanning rond de verkiezingen', 'Als onze kinderen konden stemmen...' Ze besloot om even naar het klaslokaal van pater Bill te gaan en tegen hem te zeggen dat hij na de dagopening niet weg moest glippen en geen leerlingen naar huis moest brengen. Ze dacht niet dat hij het meisje iets had aangedaan, maar het was onbehoorlijk. Ze hadden een schoolbusje en alle ouders wisten dat de leerlingen daar in geval van nood tegen een geringe vergoeding gebruik van konden maken. Dat Moya in haar eentje met een taxi naar huis ging was nieuw voor haar, en ze vond dat dat zo niet door kon gaan. Ze wist dat mevrouw Mntambo 's avonds vaak allerlei verplichtingen had, maar die taxi's waren niet veilig. Ze zou met die twee gaan praten. Maar eerst met pater Bill.

'Bij welke kerk hoort u nu precies, pater Bill?'

'Nou...' – hij wilde niet opnieuw liegen – 'op het moment ben ik eerlijk gezegd tijdelijk kerkloos, Zulwini.'

'Door uw probleem?'

'Eh... ik denk het,' zei pater Bill onhandig. Hij begon te blozen.

'En wanneer gaat u dat oplossen?' vroeg Zulwini nuchter.

Pater Bill was even uit het veld geslagen door die vraag. Wanneer hij dat ging oplossen? Daar had hij nooit over nagedacht. Niet op die manier, niet als iets wat opgelost kon worden. 'Dat weet ik niet, Zulwini,' zei hij na een tijdje.

'Ah, man!' riep de jongen uit. Hij liet zijn kin op de tafel zakken.

Pater Bill lachte. 'Zoveel zorgen maak je je toch niet om mij, Zulwini?'

'Nee, maar ik hoopte dat ik samen met u naar de kerk kon gaan.'

'O,' zei pater Bill.

'Ik heb zelf namelijk geen kerk, of iemand met wie ik erheen kan,' zei Zulwini droevig.

'Waarom niet?' Pater Bill begon een beetje geïrriteerd te raken door deze jongen aan wiens verhalen nooit een einde scheen te komen.

'Omdat ik dat niet mag.'

'Niet mag?'

'Mijn moeder vindt het niet goed. Ik ga soms wel, maar ik heb er een naar gevoel bij omdat in de Bijbel staat dat je je vader en je moeder moet eren. Ik ken mijn vader niet, dus dan moet ik mijn moeder dubbel eren. Maar in de Bijbel staat ook dat je naar de kerk moet, dus dan raak ik helemaal in verwarring en weet ik echt niet meer wat ik moet doen.'

Pater Bill kon zich niet herinneren dat er in de Bijbel stond dat je naar de kerk moest, maar het was ook al een tijd geleden dat hij de Bijbel gelezen had.

'Waarom wil je moeder niet dat je naar de kerk gaat, Zulwini?' vroeg hij een beetje aarzelend, want hij vroeg zich af waar dit gesprek naartoe ging.

'Omdat zij ook niet gaat.'

'Waarom niet?'

'Ze zegt dat zolang er geen zwarten in de Bijbel voorkomen, zij geen voet in een kerk zal zetten, en dat ik dat ook niet zou moeten doen als ik verstandig was.'

'Maar er komen wel zwarten voor in de Bijbel.'

'Niet.'

'Jawel, Zulwini.'

Voordat hij er een paar op kon noemen, zoals de koningin van Sheba, Zippora (de vrouw van Mozes), Ebed-Melech, Hagar (de moeder van de eerste zoon van Abraham), farao Tirhakah, Simon van Cyrene en vele anderen, zei de jongen hoofdschuddend: 'Nee, pater Bill. Zelfs in de kerk is iedereen op alle schilderijen aan de muren, op de ramen, de gebedsboeken en de kerstkaarten helemaal roze, net als u. Daarom was ik ook zo opgewonden toen ik u die dag in het kantoor van Mohumagadi zag. Ik hield meteen van u, u deed me denken aan Jezus en zijn vrienden en God. U zag er net zo uit als God.

Ik heb een keer geprobeerd mama over te halen om mee te gaan naar de kerk. Ik zei tegen haar dat het niet uitmaakt wat voor huidskleur Jezus heeft, want "Jezus houdt van de kinderen, van alle kinderen ter wereld. Groen en geel, wit en rood, van alle kinderen klein en groot, Jezus houdt van alle kinderen". Ik zei tegen haar dat er ook geen Chinese kinderen in de Bijbel staan, maar dat die ook niet kwaad zijn op God.'

Pater Bill wilde dat Zulwini wegging uit het lokaal, dat hij meteen uit zijn ogen verdween. Hij voelde een bekende hoofdpijn komen opzetten. Hij probeerde manieren te bedenken om hem te laten ophouden met praten en weg te laten gaan, maar hij kon niets zeggen omdat hij barstende koppijn had en bang was dat zijn gesloten mond het enige was wat zijn hoofd ervan weerhield doormidden te barsten.

'Op mijn vorige verjaardag zei mijn moeder: "Zulwini, lieverd, ik hou van je. Mama is pas CEO geworden van Maatla Power House. Weet je wat dat betekent, lieverd? Dat betekent dat het heel goed zal gaan met ons. Heel goed. Wat wil je voor je verjaardag, lieverd? Zeg het maar. Mama kan nu alles voor je kopen wat je maar wilt. Weet u wat ik toen tegen haar heb gezegd? Ik zei dat ik graag voor mijn verjaardag wilde dat ze met mij naar de kerk ging." Kwáád dat ze was, pater Bill! Maar ze had gezegd dat ik mocht vragen wat ik wilde, ze had het beloofd en ze kon niet meer terug. Maar toch had ik haar niet moeten dwingen, pater Bill, want het was vreselijk. Een van de mensen die ons bij de ingang van de kerk verwelkomden, droeg een oud T-shirt van de National Party. Volgens mij deed ze niet eens aan politiek, het was gewoon een oud shirt dat ze toevallig had aangetrokken, maar mama was heel erg kwaad. En ze zei dat ze haar vingers niet in het wijwater wilde dopen. Dat dat vies was. En vlak voor de vredesgroet, vlak voordat we gingen bidden om van onze zonden te worden bevrijd zodat onze ziel weer zo blank als sneeuw zou zijn, werd ze misselijk en gaf over in haar handtas. Gewoon onder de dienst, de *Praise for Daily Living* en de *English Hymnal* zaten er helemaal onder. Ik moest haar mond afvegen met een paar misboekjes. Iedereen draaide zich naar ons om. Ik schaamde me dood. Ze wilde midden onder de mis weggaan, maar dat wilde ik niet, dus toen ging ze alleen. Ik was blij dat ze weg was, want ze deed alles fout: ze ging zitten als wij gingen staan, en ze knielde als wij gingen zitten. Het was de ergste verjaardag die ik ooit heb meegemaakt en toen ik thuiskwam, had ze ook nog mijn taart opgegeten. Ze vroeg aan me hoe ik naar een kerk kon gaan waar we niet om hetzelfde baden.

En als we allemaal tot dezelfde God baden, welke kant Hij dan volgens mij moest kiezen. Welke kant had Hij in de geschiedenis gekozen? Hoe kon ik van een God houden Die mij vergeten was, Die mij had overgeslagen, Die mij nog steeds oversloeg, steeds opnieuw? Ze zei dat ik dom en blind was en dat ze echt hoopte dat ik niet zo stom zou zijn om priester te worden.'

Pater Bill had niet gemerkt dat hij zijn adem had ingehouden totdat de jongen uitgesproken was.

'Maar ik maak me geen zorgen.'

'Je maakt je geen zorgen?'

'Wie van jullie kan door zich zorgen te maken ook maar één el aan zijn levensduur toevoegen?'

'Mattheus 6 vers 27.'

'Precies, Mattheus 6 vers 27. Mijn lievelingsvers van de hele Bijbel.'

'Dus je maakt je geen zorgen.'

'Nee. Ik weet dat God er Zijn redenen voor had om zwarte mensen buiten de Bijbel te houden.'

'Dus je bent ook niet bezorgd om de situatie waarin je je nu bevindt?' Pater Bill geloofde hem niet. Hij haatte hem zelfs. Hij haatte hem omdat hij een leugenaar was, een oplichter, een bedrieger. Of gewoon een gek.

'Welke situatie?'

'Jullie zouden van school gestuurd kunnen worden voor wat jullie hebben gedaan.' Pater Bill wist dat dat niet zou gebeuren, maar hij wilde hem bang maken, hij wilde Zulwini duidelijk maken dat hij niet beter was dan de anderen, dat hij ook twijfelde, dat hij een huichelaar was.

'Maar dat gebeurt niet.'

'Hoe weet je dat, Zulwini?' Pater Bill schreeuwde bijna.

'Omdat God u gestuurd heeft.'

Pater Bill begon te huilen. Hevig te huilen, huilen zoals een verstandig man niet doet in aanwezigheid van een kind.

'Zal ik je een geheim vertellen?' vroeg hij toen Zulwini de klas uit gerend was en terugkwam met een rol wc-papier die hij aan pater Bill gaf, uit wiens ogen nog steeds tranen vloeiden, hoe hij ook zijn best deed om ze tegen te houden. 'Ik wilde na de dagopening stiekem naar huis gaan.'

'Dat weet ik.' Zulwini schoof zijn stoel aan zodat hij naast pater Bill zat.

Pater Bill begon te lachen. 'Hoe wist je dat?'

'Ik heb u gisteren zien weggaan.'

'Maar ik had toch ook best naar de dokter kunnen gaan of zoiets?'

'U was niet ziek. En u liep heel hard voor me weg; als u ziek was geweest had u dat niet gekund.'

'Sorry, Zulwini.'

'Het geeft niet. Ik ben er wel aan gewend.' De jongen liet zijn hoofd tegen de schouder van pater Bill rusten. 'Maar u mag niet zomaar de school in en uit glippen. Dat is niet eerlijk.'

'Inderdaad. Maar jij mag andere mensen niet veroordelen. Er zijn dingen die je niet begrijpt. Je bent nog erg jong.'

'Ik veroordeel u niet, pater Bill.'

'Mij niet, Zulwini, ik bedoel meneer Semenya.'

Zulwini keek naar hem op en knikte.

'Laten we een deal sluiten.' Pater Bill stak zijn hand uit. 'Ik beloof dat ik niet meer de school in en uit glip, en jij belooft dat je weer naar de les van meneer Semenya gaat.'

Zulwini zweeg.

'Jezus zou dat vast doen,' zei pater Bill grijnzend.

'Dat is flauw pater Bill.'

Ze moesten allebei lachen.

Mohumagadi had besloten om met pater Bill te gaan praten voordat de kinderen die middag bij hem kwamen. Het hoefde maar een minuutje te duren. Ze was niet boos. Ze was ervan overtuigd dat hij Moya alleen maar had willen helpen door haar naar huis te brengen. Toen ze bij zijn klaslokaal kwam, zag ze hem en Zulwini lachen, ze gooiden hun hoofd in hun nek en gierden het uit. Ze bleef glimlachend bij de deur staan. Waar moesten ze zo hard om lachen? Ze giechelde, het was gewoon besmettelijk. Pater Bills hele omvangrijke lijf bewoog door het lachen. En Zulwini zag er ontzettend blij en gelukkig uit. Ze moest lachen, maar tegelijk schaamde ze zich omdat ze die twee kwam storen, zij, met haar regels, haar driedelige mantelpak, haar autoriteit, haar nagels, haar kennis, haar zwarte afro in een knot, haar uitspraken. Wanneer had zij voor het laatst zo gelachen? Ze kon het zich niet herinneren. Had ze ooit wel zo hard ergens om gelachen? Niet in dit leven, in elk geval, het leven na de kerk. Ze draaide zich om en liep terug naar haar kamer. Ze liep vooruit, maar wat wilde ze graag achteruitlopen. Achteruit. Wat zouden ze wel niet denken? Een schoolhoofd dat achteruit door de gang liep. Niemand deed ooit iets achterstevoren, dat hoorde gewoon niet.

Ze dacht terug. Ze wilde het niet, maar ze deed het toch. Ze herinnerde zich alles alsof het maar een ogenblik geleden was, maar niets van daarvoor, niets van het fijne. Alleen de pijn die ze had gehad, en nog steeds voelde. Ze herinnerde zich wat een zielig gevoel hij haar had gegeven. Zo opgelaten. Zo afgewezen en ongeliefd. Ze was verbijsterd geweest, ze had niet kunnen accepteren dat haar zoiets kon overkomen. Zij was de slimmerik, die de tafels eerder kende dan hij. Zij was het getalenteerde kind dat dure Engelse woorden gebruikte, dat het had over 'consequenties' als Bill en de andere jongens zich hadden bezeerd. Zij was degene die wist dat ze anders was, apart, speciaal. En ze werd vernederd tot niets door een jongen die haar niet verdiende, maar die ze nog steeds terug zou nemen als hij op andere gedachten kwam – hij had een zielig, zwak, behoeftig, treurig figuur van haar gemaakt. Hij had alle liefde die ze had van haar afgenomen en ervoor gezorgd dat ze zichzelf haatte. En moest je eens zien wie hij nu was: een nul, een absolute nul, iemand die niet gemist zou worden als hij doodging.

Ze schaamde zich zo dat ze het aan niemand had verteld. Niet aan mama, niet aan mama Rose, niet aan mama Patricia, niet aan mama Puleng, zelfs niet aan mama Twiggy. Dat kon toch niet? Ze hadden haar aangekeken met waarschuwende blikken omdat het niet blijvend kon zijn. Ze was te trots om zich door hen te laten beklagen. Dat vertikte ze. Ze wachtte af, lachte, hield zichzelf voor dat ze niet zo moest overdrijven, dat hij haar natuurlijk wel brieven had geschreven maar dat die waren zoekgeraakt, dat hij ergens vastzat maar haar zou laten komen, dat hij ook wachtte, dat hij ook maar eindeloos wachtte. Ze wachtte vele dagen, dagen die ze zich wel kon herinneren, maar waar ze niet meer aan kon terugdenken, en daarna ging ze zelf ook weg. De redenen die ze opgaf, studie en aanverwante zaken, waren voldoende voor hen. Zolang het te maken had met boeken, stelden ze geen vragen, vragen die Mohumagadi niet zou kunnen beantwoorden. En daar waar ze naartoe ging, zei ze ook niets. Ze vroeg niemand iets en zij deden dat evenmin. Want hoe kon ze hun iets vertellen over mama zonder over de kerk te beginnen, en hoe kon ze over de kerk vertellen zonder de paters te noemen, en hoe kon ze het over de paters hebben zonder dat het verhaal weer op hem kwam? Daarom sprak ze met geen woord over de dingen waar ze niets mee te maken hadden. Voor haar was dat prima. Na verloop van tijd begon ze het zelfs een beetje narcistisch te vinden, dat *gaaning aan* over de details van dingen die allang voorbij waren. Ze was eroverheen gegroeid, had het achter zich gelaten, ze stond erboven.

Pater Bill had dorst, ontzettende dorst, bijna alsof alle emoties die hij veel te overhaast opnieuw had opgeroepen zijn keel hadden uitgedroogd en rauw gemaakt. Hij wilde ijs: hij dacht aan de ijsmachine in de lerarenkamer, waar hij toen een beker uit had genomen, en aan het broodje ei dat hij zo vies had gevonden.

Hij liep naar de lerarenkamer, waar hij eerder was dan hij had verwacht. Zijn voeten voelden licht en tintelend, alsof ze elk moment het contact met de vloer konden kwijtraken en omhoog zouden zweven. Hij keek voorzichtig om de hoek van de deur en zag tot zijn opluchting dat er niemand was. Hij wist best hoe raar zulke ambivalente gevoelens over het omgaan met andere mensen waren, en dat zijn onhandigheid daar waarschijnlijk het gevolg van was. Zijn moeder had eens tegen hem gezegd dat hij onhandig geboren was. Ze zei dat hij bij zijn eigen geboorte al aarzelde, dat hij zijn hoofd naar buiten had gestoken en daarna weer was teruggekropen. Zijn hoofd voelde koud aan, zoiets had ze nog nooit gevoeld. Zijn broers hadden zoiets bij hun geboorte in elk geval niet gedaan; de dokter had zoiets ook nog nooit gezien en had hem er met een vacuümpomp uit gehaald. 'Je werd zelfs met tegenzin geboren,' zei zijn moeder, 'en je bent altijd koud en afstandelijk gebleven.'

Hij ging met zijn beker ijs midden op de bank zitten. De muren waren bedekt met schilderijen van de kunstweek van de derde klas. Hij glimlachte. Vissen, fietsen, honden, ballen, pudding, een lachend zonnetje, vogels die op de letter M leken, een rokende schoorsteen, een vader en moeder hand in hand, een lachend kind.

'Vind je onze kunstwerken mooi?'

Het was Mohumagadi, hij had haar niet binnen horen komen. Hij kwam haastig overeind, maar ze gebaarde dat hij kon blijven zitten.

'Ja. Ze doen me aan ons denken,' zei hij met een glimlach.

Hij zag dat haar gezicht betrok. Met 'ons' bedoelde hij: toen wij nog kind waren. Niet 'wij tweeën', maar wij volwassenen die vroeger allemaal kind zijn geweest. Ze liep naar het koffieapparaat en pakte haar beker. Een grote beker met een grote lepel die alleen zij gebruikte.

'Ik bedoelde toen wij nog kind waren,' zei hij in een poging goed te maken wat hij had gezegd. Maar dat klonk nog veel erger dan wat hij daarnet zei. Ze schonk koffie in en pakte een zakje suiker, rietsuiker.

'Ik bedoelde dat die schilderijen me doen denken aan toen wij kind waren. Dat ze volwassenen daar vanzelf aan doen terugdenken.'

Wat was hij toch een sukkel. Ze gaf waarschijnlijk toch niets meer om hem. Hij wist wel zeker dat ze zich hem nog herinnerde. Alleen zij wist dat hij niet kon klokkijken. Maar misschien was het toeval, of zelfs een grap; misschien herinnerde ze zich hem helemaal niet. Ze was klaar: ze had melk in haar beker geschonken en hij wist zeker dat ze de lerarenkamer uit zou lopen, terug naar haar kantoor, en weer uit zijn leven zou verdwijnen. Voordat ze dat kon doen zei hij iets tegen haar, zonder er ook maar een seconde over na te denken.

'Weet je nog dat we ruziemaakten over de vraag welk krijtje "huidkleurig" was? Jij zei altijd dat het die karamelbruine was, en ik die roze. Huidkleurige krijtjes!' Hij lachte en probeerde niet te laten merken hoe zenuwachtig hij was.

Ze ging op de bank tegenover hem zitten, keek hem aan, maar zei niets.

'Nu is het natuurlijk allemaal anders,' ging hij verder. 'We zijn volwassen geworden, alles is veranderd. Of misschien ook niet. Misschien is alles nog hetzelfde, maar hebben wij alleen een manier gevonden om alles nog ingewikkelder te maken.' Hij glimlachte weer, zij niet. Hij kon merken dat hij al een hele tijd geleden had moeten ophouden met praten. Het was hem een raadsel waarom hij over vroeger begonnen was. Hij wist niet welke reactie hij van haar had verwacht, hij nam het haar niet kwalijk dat ze zweeg.

De stilte werd zwaarder, dreigde hen te verpletteren, dus hij zei opnieuw iets.

'Eigenlijk zijn we allemaal kinderen, realiseerde ik me laatst. We zijn gewoon kinderen die proberen om alles te begrijpen. Kinderen die lachen, wat ze vanbinnen ook voelen. Zelfs als ze 's avonds naar huis moeten waar een man niet alleen hun bed binnen dringt, maar ook hun privacy: ze blijven overdag lachen en spelen, net als de andere kinderen.'

En nog meer: 'Wat kunnen we anders dan bidden, bidden voor onze kinderen, voor ons land, voor deze wereld, voor onszelf?'

'Bidden?' Mohumagadi's stem klonk hees. 'Geloof je daar echt in?' vroeg ze aan hem, terwijl ze hem voor het eerst sinds hij hier was in de ogen keek.

'Ja.'

'Want ik heb ook gebeden, Bill. Ik heb ontzettend veel gebeden, en weet je wat me dat heeft opgeleverd? Niets, het was alleen maar verloren tijd.'

'Op een dag zullen je gebeden verhoord worden, Tshokolo.'

'Fuck you, Bill.' Ze fluisterde, maar hij verstond het.

'Het zijn gedane zaken, Tshokolo, die nemen geen keer.'

'Gedane zaken?' riep ze uit. Ze riep zo hard dat hij ervan schrok en het bekertje met inmiddels gesmolten ijs liet vallen, waardoor het over de vloer spatte.

'Gedane zaken?' riep ze weer. Zijn hart bonsde, het bonsde zo hard dat het leek alsof zijn ribben zouden breken.

'Ben je gek geworden?' riep ze uit. 'Ben je krankzinnig? Dus jij noemt vijftien jaar verdriet, ondraaglijk verscheurend verdriet, vijftien jaar slapeloze nachten, vijftien jaar angst, vijftien jaar woede, pijn en razernij "gedane zaken"? Ik moet alles maar gewoon vergeten, bedoel je dat, Bill? Al die beloften die je in '94 hebt gedaan, moet ik die maar gewoon vergeten? De vijftien jaar die je van mijn leven hebt afgepakt, moet ik die vergeten?'

'Zo bedoelde ik het niet.' Hij kon het niet snel genoeg zeggen. Wat had hij gedaan? Zo had hij het helemaal niet bedoeld. Het was gewoon een uitdrukking. Een zegswijze. 'Zo bedoel ik het niet, Tshokolo, toe, dat bedoelde ik echt niet. Gedane zaken zijn niet vergeten, maar je kunt ze niet meer ongedaan maken.'

'Kon jij je eigen klotezaken maar ongedaan maken,' beet ze hem tussen opeengeklemde tanden toe. Haar ogen waren rood en de aderen op haar voorhoofd zwollen op.

Hij was volkomen van slag. Hoe moest hij dit ooit goedmaken? Hij liet zich op zijn knieën vallen. Sloeg zijn armen om haar heen. Hij probeerde haar vast te houden, tegen te houden, het uit te leggen. Het was gewoon een uitdrukking: *gedane zaken nemen geen keer*. Zo zeiden ze dat toch? Hij had een grote fout gemaakt. Misschien had hij het verkeerd gezegd. Of in elk geval op het verkeerde moment. Kon hij het maar terugnemen.

'Raak me niet aan, stuk onbenul.'

O, God, wat had hij gedaan?

'En sta op, lafaard die je bent. Zielige lafaard.'

Ze hield niet op, ze gaf hem niet de kans om het uit te leggen.

'Gedane klotezaken. Dus zo denken jullie lamlendelingen erover? Alles wat jullie ons hebben aangedaan zijn gedane zaken? Klaar uit? Fuck you, Bill. Jij en die fucking voorvaderen van je.'

Mohumagadi had weer in haar broek geplast. Ze wist niet precies wanneer dat was gebeurd, maar toen ze terug was op haar kantoor, waren haar dijen plakkerig en voelde haar inlegkruisje koud aan.

Hoe kon dit gebeuren? Hoe kon dit haar opnieuw overkomen? Hoe kon ze het laten gebeuren? En het heelal, de goden, de hogere wezens of wat daarboven ook maar was? Hoe kon Hij, Zij of Het haar dit opnieuw aandoen? Het was niet eerlijk. Ze had het niet verdiend. Ze was er ook niet op uit geweest. Had het haar achtervolgd, hierheen, naar deze nieuwe school, haar nieuwe leven, haar nieuwe, volmaakte wereld waarin ze vijftien jaar later woonde, moest wat er nog van haar over was ook vernietigd worden? Wat had ze verkeerd gedaan? Paulo Coelho had het bij het verkeerde eind: de wereld spande niet samen om je gelukkig te maken, de wereld spande samen om je verdriet en pijn te bezorgen.

Pater Bill zat met zijn ene hand in zijn shirt en drukte Zulwini's bijbel tegen zijn hart en krabde met zijn andere hand aan de opkomende blaren op zijn lip toen Mlilo het lokaal binnen kwam.

‘Goedemiddag, pater Bill,’ zei Mlilo, zonder hem aan te kijken.

‘Goedemiddag, Mlilo,’ antwoordde hij, zonder de moeite te nemen de begroeting met beleefdheden te omkleden.

Toen de jongen verder niets zei, negeerde hij hem en krabde weer aan zijn lip, terwijl hij de bijbel over zijn borst wreef. Zijn hoofd bonkte. Hij sloot zijn ogen en probeerde de rust te vinden die hij ergens in zich had, maar niet kon bereiken. Toen hij zijn ogen weer opende stond Mlilo bij zijn tafel. Pater Bill zuchtte. ‘Luister, Mlilo, ik weet dat je het al sinds ik hier ben op mij hebt voorzien. Maar vandaag even niet, oké? Er is niet veel meer van mij over om de vernieling in te helpen, dus geef me alsjeblieft wat ruimte.’

Hij zag dat de jongen zich met tranen in zijn ogen omdraaide.

‘Mlilo?’ vroeg pater Bill beduusd. ‘Sorry, gaat het wel met je?’

‘Ik had deze meegenomen,’ zei Mlilo. Hij legde een dvd op zijn tafel. ‘Ik weet wel dat u had gevraagd of ik een film mee wilde nemen, maar die hebben we thuis niet. Mijn moeder en ik volgen de schoolregels heel nauwkeurig op. Dus heb ik zelf een film gemaakt.’

Had hij een film gemaakt?

‘Wat voor film, Mlilo?’ Pater Bill vond het vreemd, en na alles wat die jongen had gedaan was hij een beetje achterdochtig geworden.

‘Gewoon, over de principes van de mannelijke en vrouwelijke voortplantingsorganen en de veranderingen die ze doormaken in de puberteit. We werden in groepjes ingedeeld en moesten een nieuwe manier bedenken om de klas iets te vertellen over de verschillende stadia van de puberteit. Met het beste project kon je een uitstap winnen naar het Human Science Museum. Dus toen hebben we bedacht om een video van onszelf te maken omdat we allemaal in een verschillend stadium van de puberteit zitten. Ndudumo zei dat we onszelf wel mochten filmen omdat alleen mevrouw Masemola het zou zien, en die zou zich vast niet storen aan geslachtsdelen en zo omdat ze zelf een vrouw en een moeder is. Maar ze zou het wel geweldig vinden dat wij zo innovatief waren geweest en dan zou ze ons laten winnen. Dus toen zijn we eraan gaan werken. We zijn zelfs naar de bibliotheek van de medische faculteit gegaan en daar hebben we allerlei feiten verzameld voordat we met filmen begonnen, maar toen zag meneer Tshivhase ons in de bus en kregen we er problemen mee en hebben we het niet meer ingeleverd. Ik had het niet eens gemonteerd, tot gisteravond. Ik dacht dat de anderen het misschien nog wel wilden zien omdat we er zo hard aan hebben gewerkt. We zijn trouwens niet echt vrienden, we gaan niet zo vaak met elkaar om, behalve hier op school, dus ik dacht dat omdat we hier toch bij elkaar zijn en hier een dvd-speler is... Volgens mij duurt hij niet eens zo lang. Het hoeft niet per se vandaag als u niet wilt. Maar ik wilde hem wel een keer aan de anderen laten zien.'

'Dus dat was wat jullie in de bus deden? Jullie werkten aan dat project?'

'Ja, pater Bill. Hoezo? Wat dacht u dan dat we deden?'

Pater Bill zag aan Mlilo's betraande ogen dat die vraag oprecht was.

'We hadden best kunnen winnen,' zei Mlilo toen er geen antwoord kwam op zijn vraag. 'Die film is echt goed. Ndudumo kent al die stadia, dus zij heeft de tekst ingesproken. En de beelden zijn ook prima. Wel een beetje gênant, maar toch goed. We hadden kunnen winnen, als we die problemen niet hadden gekregen. Misschien dat we een beetje te ver zijn gegaan, maar we wilden zo graag winnen. We hebben er misschien niet zo goed over nagedacht. Maar ik dacht dat we de film alsnog aan mevrouw Masemola konden geven. We hebben geen cijfer gekregen omdat we de hele week geschorst waren, maar toch is het de moeite waard om de film in te leveren.'

De andere kinderen kwamen binnen en zagen tot hun verbazing dat Mlilo er al was en dat hij met een dvd in zijn hand met pater Bill stond te praten. Toen ze in de gaten kregen dat het de opnamen waren waar ze zoveel problemen mee hadden gekregen, kwamen ze opgewonden giechelend om hem heen staan en gaven de dvd blozend aan elkaar door. En ze vuurden allerlei vragen op hem af.

'Heb je alles erop gezet?'

'Wanneer?'

'Weet je zeker dat we hier niet nog meer problemen mee krijgen?'

'Waarom heb je niet verteld dat je die film nog had?'

'Hoe is hij geworden?'

'Is hij niet heel vies?'

'Mogen we er misschien heel even naar kijken, pater Bill?'

Pater Bill was van plan om te protesteren, maar had daar geen echte reden voor. Zijn hoofd was zo gesmoord en gesmolten dat hij niet kon denken, niet kon praten, niets kon doen; hij leunde achterover, liet de bijbel op zijn schoot vallen en keek naar de kinderen terwijl ze dachten, praatten en hun gang gingen. Zulwini kwam naar hem toe en omhelsde hem. Ndudumo zei voor de grap dat ze zijn lievelingetje was en sloeg ook even haar arm om hem heen. Moya protesteerde dat zíj zijn lieveling was en sloeg ook haar armen om hem heen. Mlilo zei niets en raakte hem niet aan, maar ging de apparatuur klaarzetten. De anderen hielpen hem en kletsten intussen met elkaar. Over wie het biologieproject had gewonnen en dat diegene geen enkele kans zou hebben gemaakt als zij hun film hadden kunnen inleveren. Pater Bill had ze nog nooit zo enthousiast meegemaakt. Ze bleven Mlilo maar met vragen bestoken.

'En, is hij mooi geworden?'

'Was het niet raar om dat allemaal te monteren?'

'Heb je alles erop gezet? O jee, Mlilo, toch niet wat je van mij gefilmd hebt? Dat is zó gênant!'

Mlilo antwoordde kortaf dat ze geduld moesten hebben, dat ze het zo dadelijk zelf konden zien. Ndudumo stak haar tong naar hem uit en noemde hem een zuurpruim. Moya zei dat ze een paar films van huis had meegenomen: *Notting Hill* en *Sleepless in Seattle*, omdat ze dacht dat Mlilo niets zou meenemen. Zulwini en Ndudumo riepen tegelijk 'ik ook!' en kregen de slappe lach omdat ze precies tegelijk hetzelfde riepen, waar iedereen opnieuw om moest lachen, zelfs Mlilo, ook al probeerde hij dat te verbergen.

Ze zaten klaar voor hun biologieproject. Het verscheen allemaal echt op het scherm: hun genitaliën, hun tepels en hun schaamhaar. Hoewel ze hun handen voor hun ogen hielden, tussen hun vingers door keken, hun gezicht verborgen achter hun boeken en vreselijk opgelaten giechelden, was er niets vulgairs aan. Het was wel het raarste wat pater Bill ooit had gezien. In de film werd het hele ontwikkelingsproces eigenlijk heel goed uitgelegd. Hij was onder de indruk, maar probeerde niet te kijken naar de geslachtsdelen van een stel overijverige zeer ambitieuze kinderen die een schoolproject iets te serieus hadden aangepakt. Hij schudde zijn hoofd en grinnikte. Het was inderdaad Sekolo sa Ditlhora.

Mohumagadi marcheerde naar zijn klaslokaal. Ze zou hem eindelijk eens vertellen wat ze van hem vond, ze was vastbesloten om dat te doen. Er was zoveel dat ze wilde zeggen, er waren zoveel dingen die ze al die jaren had opgekropt, in kleine stukjes had opgevouwen zodat alles in haar hoofd paste. Eerst zou ze tegen hem zeggen dat hij een nul was, een priester die de kerk tot schande had gemaakt met zijn seksuele uitspattingen, een mislukkeling, zelfs in zijn eigen kringen. Ze zou terugnemen wat ze eerder had gezegd, ze zou zeggen dat de afgelopen vijftien jaar geen verloren tijd was geweest. Dat het juist de beste tijd van haar leven was. Ze had een rijk opgebouwd, een school, een school waar jonge zwarte meisjes niet hoefden te huilen om de een of andere smerige waardeloze blanke jongen. Een school van reuzen. Ze zou tegen hem zeggen dat als hij nog eens een keer na de dagopening de school uit glipte hij ogenblikkelijk zou worden weggestuurd. Dat hij maar beter het schoollied kon leren, omdat ze anders een brief op hoge poten aan de bisschop zou sturen om hem te melden dat zijn inburgering op school mislukt was, dat zijn minachting voortkwam uit racisme en dat ze aanraadde om hem weg te sturen. Ze zou tegen hem zeggen dat het niet aan hem was om leerlingen te vragen met hem mee te rijden en dat ze de politie zou bellen als dat nog eens gebeurde. Ze zou ook zeggen dat er op deze school nog nooit iemand een spijkerbroek had gedragen en dat hij elke dag zijn priesterkleding moest aantrekken of anders fatsoenlijke kleren moest aanschaffen. En ze zou ook zeggen dat hij iets aan die walgelijke met etter gevulde blaren op zijn lip moest doen die hij al vijftien jaar had omdat ze te smerig waren om naar te kijken.

Maar toen Mohumagadi in de klas kwam, was ze niet voorbereid op wat ze daar aantrof. In plaats van een paar leerlingen die ijverig over hun werk gebogen zaten, zag ze pater Bill en de kinderen in het donker bij de projector zitten, de projector wierp een blauw licht op de muur, waarop een vagina, een penis en daarna een vinger verscheen die de testikels aanwees. En de plaatjes waren allemaal van kinderen: kindervagina's, kinderpenissen, kindertestikels, en een kindervinger die alles aanwees.

'Wat is hier aan de hand?' gilde Mohumagadi toen ze de deur open had gegooid.

De kinderen sprongen op en begroetten haar, maar hielden op toen ze haar gezicht zagen.

Ze hoorde Ndudumo's stem op het scherm. 'Bij meisjes begint de puberteit als ze ongeveer tienenhalf jaar oud zijn. Het begint met de ontwikkeling van de borsten. De contouren van de areola worden zichtbaar, zoals hier wordt gedemonstreerd aan de hand van Moya's borst. Het schaamhaar ontwikkelt zich in het tweede stadium van de borstontwikkeling, aanvankelijk met spaarzaam haar, zoals bij Moya te zien is, maar daarna met dikker, grover en krullender haar, zoals bij mij.'

Mohumagadi was razend. 'Wat is dit?' Ze rukte trillend van woede het snoer uit de muur. Ze beende door de klas en zag de stapel dvd's op de tafel liggen.

'*Notting Hill*, *Casablanca*, *Pretty Woman*? Wat is dit voor troep?' schreeuwde ze. '*King Kong*? *Australia*?'

Ze maakte hun schooltassen open en keerde ze om, gooide de inhoud op de grond. Ze trok de boeken uit de kast, keek erin, schoof ze aan de kant. Ze zocht het hele lokaal af en bleef daarna met een woeste blik hijgend staan. Ze verroerden geen vin. Dat durfden ze onder die blik niet.

'Wat is er in deze klas aan de hand?' riep ze toen ze weer op adem gekomen was. 'Wie heeft deze troep meegenomen naar mijn school?' Ze wees op het projectiescherm. 'Was jij dat, Bill? Was jij dat? Heb jij die porno in mijn school gehaald, Bill? Heb jij dat gedaan? Is dat wat je de hele tijd van plan was?'

Ze keek hem aan, en wachtte op een antwoord.

'Wat is er in deze klas aan de hand? Wat is dit voor troep?' ging ze tekeer terwijl ze de dvd's omhooghield.

'Dat zijn alleen maar films, Mohumagadi,' fluisterde Mlilo.

‘Alleen maar films, Mlilo? Hoorde ik jou “alleen maar films” zeggen? Komen er zwarte mensen in deze films voor, Mlilo? En wat is jouw verweer, Bill? “Alleen maar porno”? Het is “alleen maar porno”, Mohumagadi?’

‘Het is geen porno,’ hoorde ze de man zwak protesteren.

‘Wat is het dan, kunst? Christelijke kunstfilms? Want daar had je die projector toch voor nodig? Voor christelijke dvd’s?’ Ze kon hem wel vastgrijpen, door elkaar schudden, onder haar voet vermorzelen en op hem spugen. ‘Jij wilt mijn leerlingen vergiftigen, daar ben je toch op uit, Bill?’

‘Ach, kom op, Mohumagadi.’

‘Hou op met je “Ach, kom op”, Bill. Die films vernederen ons door hun beeld van de blanke geschiedenis, blank verdriet, blanke romantiek. De enige donkere huid die je daarin ziet is van mensen die op de achtergrond vuilnis ophalen. Wat denk je dat die kinderen daarvan leren, pater Bill? Als ze verliefd worden op de held, huilen om het meisje, wat denk je dat die magere, onbelangrijke schaduwen op de achtergrond met hen doen?’

‘En jullie?’ Ze draaide zich om naar de leerlingen. ‘Jullie allemaal? Weten jullie niet beter? Vooral jij, Mlilo, vooral jij.’

‘Het is geen porno, Mohumagadi, dat is een grote vergissing,’ zei pater Bill. ‘Meneer Tshivhase heeft niet goed begrepen wat er die dag in de bus gebeurde, Mohumagadi. Het is allemaal een groot misverstand.’

‘Hoe durf je? Wat weet jij daarvan? Jij komt hier na een schandelijke toestand, wij stellen onze school voor je open en dan denk jij dat je het beter weet dan wij? Wat weet jij ervan, Bill, jij kent alleen maar leugens en bedrog!'

'Toe nou, Mohumagadi, laat me nou uitpraten. Ik probeer alleen maar te helpen om het op te lossen.'

'We hebben je hier niet laten komen om iets op te lossen, Bill! Jij bent helemaal niet in de positie om te helpen. Alles ging hier prima totdat jij kwam, en als er iemand hulp nodig heeft, dan ben jij het wel.'

'Toe nou, Mohumagadi, dit zijn nog maar kinderen. Kinderen mogen toch wel kinderen zijn? Echt, Mohumagadi, ik had geen kwaad in de zin, ik probeerde alleen maar te helpen.'

'Wij hebben jouw hulp hier niet nodig, we hebben je adviezen niet nodig, of je goede raad, we hebben niets van jou nodig, Bill. Wij zijn geen liefdadigheidsinstelling, wij hebben niets nodig van wat jij te bieden hebt. Wat vind je daaraan zo moeilijk te begrijpen? Waarom snap je dat niet? Omdat je niet gelooft dat een zwarte vrouw een blanke man kan helpen? Jij bent hierheen gestuurd zodat wij jou konden helpen om je zielige persoonlijkheid op te lappen voor een terugkeer in de maatschappij.'

'Wat je zegt, doet me veel pijn, Mohumagadi.'

'Het leven doet pijn, Bill. Jullie zijn er zo aan gewend dat wij ons verontschuldigen voor onze meningen, dat we de waarheid verpakken in stroop zodat jullie die gemakkelijker kunnen slikken. Nou, dat ben ik niet van plan, Bill. Jij bent in elk mogelijk opzicht een mislukkeling en je hebt niet het recht om mij iets te vertellen over mijn school of mijn staf of mijn leerlingen of over hoe we het hier doen. Jij bent een mannelijke hoer. Een hoer, een bedroevend persoon, een vergissing.' Ze moest ademhalen, er kwamen zoveel woorden uit haar dat ze was vergeten om adem te halen.

'De waarheid, pater Bill, is geen Smartie: dat is een grote dikke zetpil die in je rectum gedouwd wordt.' Haar ademhaling ging zo snel dat ze de lucht naar binnen zoog voordat alles eruit was. 'Jullie hebben je kans gehad, jullie hebben ons jarenlang kunnen bestuderen en ontleden, jullie konden ons onder allerlei microscopen leggen, generatie na generatie, maar nu is het genoeg geweest.'

'Mohumagadi, het is nooit mijn bedoeling geweest om...'

'Jij hebt nooit de bedoeling om iets te doen, of wel soms, Bill? Ik wil dat je weggaat, weg uit mijn school, meteen. Het was een vergissing om je hier toe te laten. Ik wist het niet. Als ik het geweten had... Jij hoort hier niet thuis. We werken hier ergens aan, Bill, aan iets groters dan jij je met je zielige hersentjes kunt indenken. Iets waar jij nooit deel van zou kunnen uitmaken. Je hebt al genoeg schade aangericht. Ik vind dat het tijd is dat je vertrekt.'

'Toe, alsjeblieft, Mohumagadi. Het spijt me zo! Alsjeblieft.'

'O nee, waag het niet. Ik wil jouw sorry niet, pater Bill, ik wil niks te maken hebben met jouw sympathie of medelijden. Weet je waarom ik deze school heb opgericht, pater Bill? Ik heb deze school opgericht zodat wij voor de verandering eens een keer het voorrecht krijgen om medelijden te hebben met mensen zoals jij.'

'Alsjeblieft, Mohumagadi, stuur me niet weg.

Luister alsjeblieft even naar me, ik kan het allemaal uitleggen. Toe. Ik hou van je, Tshokolo.'

'Ga mijn school uit, Bill.'

Die nacht lag hij op de grond in het donker naar de radio te luisteren. Voor het eerst sinds hij hier was, luisterde hij naar de radio; hij wist niet eens welke zender het was, maar er waren stemmen, er werd gepraat... het was leven, alsof er mensen waren, mensen die het niet erg vonden om met hem te praten. Ze hadden een discussie over het een of ander. Hij wist niet waarover, dat kon hem ook niets schelen, hij lag daar alleen maar wat te luisteren.

'In wat voor kutwereld leven wij,' zei de beller aan de lijn. 'Ik word er niet goed van. Ik word er godverdomme echt niet goed van. Ik wil er niet meer bij horen. Ik wil er helemaal niks meer mee te maken hebben. Terroristen, armoede, misdaad, geweld, wat een waardeloze teringzooi. Krankzinnig. Daar word je toch helemaal gestoord van? Ik zit voor de tv te zappen, allemaal van die *punk-ass* muziekclips, en dan zie ik op de BBC opeens instortende gebouwen, daarna allerlei religieuze bullshit, een of andere klootzak die arme mensen al hun geld afpakt, en dan Africa TV met verlopen actrices met beschadigde nagellak en witte droge knieën die onbenullige verhalen spelen. Is het altijd al zo geweest in de wereld? Het is al zo lang zo, het lijkt alsof er nooit iets verandert. Dingen verschuiven, verstoppen en verbergen zich, maar in wezen is het dezelfde bullshit. Wat heeft het voor zin? Hoe moet je in godsnaam gelukkig zijn als alles om je heen in duigen valt? Of moet je je daar niets van aantrekken?

Moet je gewoon je ticket naar Mumbai cancelen en een andere vakantie boeken?'

De tirade eindigde, en de presentator kondigde een reclameblok aan. Daarna kwam een andere beller aan de lijn die kaartjes zocht voor de paardenrennen in de J&B Met. Pater Bill richtte zich tot God, keek Hem met pijn in het hart aan en vroeg: 'Was U niet kwaad toen U zag wat ze mij aandeed?'

21 maart

Lieve God,

Ik begrijp dat U niet van ons verlangt dat wij onszelf laten ademen, zelf ons hart laten kloppen, ons bloed door ons lichaam laten pompen, want als het aan ons lag, zouden velen van ons niet eens de moeite nemen. En misschien gaat het wel om veel meer dan wat wij op een bepaald moment willen.

Bill

En dat was het laatste wat pater Bill in zijn dagboek schreef, de laatste keer dat hij het nodig vond om wat dan ook op te schrijven, want hierna leek het alsof de wereld op zijn kop werd gezet en was alles wat ooit waar leek, dat opeens niet meer.

Het was toen de gordijnen bijna dichtgetrokken werden, toen de kinderen binnen werden geroepen na een lange dag spelen, toen het gele zetmeel van de rijst in de kleine pannen werd gespoeld en de saus van 4 naar 2 werd gedraaid, dat ze de deuren afsloten die eerder open geweest waren.

Het was toen de duisternis bijna inviel, toen de warme zon haar laatste woord gesproken had, toen vierkante zwarte schoenen uitrustten na een hele dag marcheren en het gedaan was met de drukte en het gehaast en er niet veel meer te doen viel, dat ze vergaten waar ze eerder geweest waren.

Op dat punt moet de auteur het overnemen en spreken voor degenen voor wie dit meer is dan alleen maar een verhaal, want zij weten niet hoe ze de rest moeten vertellen.

De man, de blanke man, de priester, die het meisje vroeger kende als Billy, die met de jeukende blaren op zijn lippen, die nu pater Bill heette, werd de volgende ochtend wakker, net als alle ochtenden sinds zijn komst, en maakte zich gereed om naar de dagopening op school te gaan. Hij herinnerde zich dat ze hem had opgedragen om priesterkleding te dragen, hij vergat dat ze ook had gezegd dat hij niet terug moest komen; hij herinnerde zich dat ze had gezegd dat hij niet stiekem naar huis mocht gaan, maar vergat dat ze had gezegd dat hij helemaal niet terug mocht komen; hij herinnerde zich dat ze had gezegd dat hij het schoollied moest leren, maar vergat dat hij nu niet meer bij de school hoorde.

De vrouw, de zwarte, het hoofd van de school, die de jongen vroeger kende als Tshoki, die altijd boos was, die Mohumagadi heette, werd die ochtend koud, rillerig en stijf wakker. Ze herinnerde zich wat er de vorige dag was gebeurd, dat ze was vernederd, dat ze respectloos was behandeld, dat ze was aangevallen, belachelijk gemaakt, dat haar gezag was ondermijnd, dat ze was bedrogen, dat ze was aangevallen en opnieuw vernietigd.

Het kind, het ronde, met een bril en met kuiltjes in zijn wangen, het kind dat met een bijbel onder zijn hoofdkussen en een rozenkrans in zijn hand sliep, het kind dat diep en zonder angst geloofde, het kind dat Zulwini heette, werd die ochtend wakker en huilde. Hij herinnerde zich dat hij in de problemen zat, maar wist niet meer waarom. Hij herinnerde zich dat hij iets verkeerds had gedaan, maar wist niet meer wat het was. Hij herinnerde zich dat er tegen hem geschreeuwd was, maar niet meer waarom.

Hij herinnerde zich dat hij dacht dat hij moest bidden, maar wist niet meer voor wie.

Het andere kind, het onbeschaamde, het kind dat sprak alsof ze het wist, dat het leuk vond om haar gezicht te beschilderen en haar hart, dat haar verdriet probeerde te verbergen, het kind dat Ndudumo heette, werd die ochtend wakker en huilde. Ze herinnerde zich de vorige dag, ze herinnerde zich wat er was gebeurd, ze herinnerde zich dat het haar schuld was, dat haar moeder tegen haar had gezegd dat ze niet in de problemen moest komen, ze herinnerde zich dat dat alleen kwam omdat ze indruk op haar moeder en haar lerares wilde maken, dat ze een goed cijfer zouden halen, en dat ze niet begreep waarom dat niet was gebeurd, ze herinnerde zich dat ze bang was, dat ze het aan haar moeder wilde uitleggen, ze herinnerde zich dat haar moeder er niet was.

Het andere meisje, het dunne, het stille, het meisje dat hier niet eens wilde zijn, dat toch al van plan was om weg te gaan, het meisje dat Moya heette, werd die ochtend wakker en huilde. Ze herinnerde zich het geschreeuw, ze herinnerde zich dat ze het niet kon horen, ze herinnerde zich de woorden, ze herinnerde zich dat ze niet begreep wat die betekenden, ze herinnerde zich de kapotte dvd's op de grond, ze herinnerde zich dat ze die op had willen rapen maar dat niet durfde, ze herinnerde zich de angst, ze herinnerde zich dat ze die nooit had gevoeld voordat ze hier kwam, ze herinnerde zich dat ze op een dag zou ontsnappen, en dat die dag heel ver weg was.

De jongen, de kleine jongen, de mooie slimme jongen met de heel donkere huid en de groene ogen, die brutaal was, te brutaal, die van wie ze dachten dat hij het toonbeeld van het succes van de school was, de jongen die Mlilo heette, werd die ochtend wakker maar huilde niet zoals kleine kinderen behoren te huilen. In plaats daarvan lag hij met open ogen in bed. Hij wilde opstaan, maar kon dat niet, hij kon zijn lichaam er niet toe zetten zijn instructie uit te voeren. Hij duwde zijn ellebogen in het bed, misschien zouden die zijn armen een beetje omhoogtillen. Hij probeerde zijn handen af te zetten tegen het matras, misschien zou het hem dan eindelijk lukken om overeind te komen. Zijn borst voelde alsof iemand er een stapel bakstenen op had gelegd, alsof iemand 's nachts naar binnen was geslopen en zijn hele lichaam had gepleisterd. Hij begon in paniek te raken, stel dat iemand dat echt had gedaan? Stel dat iemand hier midden in de nacht was gekomen en hem niet had gezien, hem had aangezien voor een onderdeel van het huis en een muur op zijn lichaam had gebouwd? Zijn hart begon te bonken terwijl hij worstelde om overeind te komen. Het had geen zin om te doen alsof, de stenen waren zwaar en toen hij eindelijk overeind kwam tuimelden ze naar beneden, kwamen op zijn grote teen terecht waardoor hij struikelde en viel. Daar zat hij, met zijn hoofd tussen zijn knieën, een teen met pijnscheuten en een berg bakstenen om zich heen. Maar huilen deed hij nog steeds niet.

'Hoe is het daarboven, God?' Mlilo had nog nooit tegen God gesproken, tenminste niet rechtstreeks, niet zoals nu. Hij wist niet eens zeker of God wel beschikbaar was en of je Hem wel om raad kon vragen.

'Is het leuk daar? Wat doen jullie nou de hele dag? Vervelen jullie je niet? Ik kan me geen plek voorstellen waar mensen altijd maar gelukkig zijn.' Zulwini had tegen hem gezegd dat mensen in de hemel altijd gelukkig zijn. Hij had Zulwini genegeerd. Zulwini was dom en domme mensen ergerden hem. Hij voelde zich meteen slecht om wat hij voelde. Hij was slecht, slecht, en nog eens slecht.

'Sorry, God. Sorry dat ik zo slecht ben,' fluisterde hij. 'Leunt U weleens achterover op het strand om naar de zee te kijken, om gewoon eens te kijken hoe het daarmee gaat? Praat U tegen de zee? Vraagt U hoe de zee zich voelt? Dat heb ik een keer gedaan. Het leek me iets wat U ook zou kunnen doen,' zei hij tegen God.

'U kunt me wel terughalen als U wilt, ik ben hier toch niet van nut. Ik verpest alles toch alleen maar voor iedereen. Zulwini zei dat we allemaal van U afkomstig zijn en hij herinnert het zich nog. Ik niet. Ik herinner me niets meer, waar we sliepen, hoe het rook, waar we aten, waar we het over hadden, dat herinner ik me allemaal niet meer. Dat is wel gek, want ik heb best een goed geheugen, volgens een van de leraren zelfs een fotografisch geheugen, dus ik heb tegen Zulwini gezegd dat als ik het me niet herinner het niet waar kan zijn, omdat ik me altijd alles herinner. Maar dat loog ik. Want ik heb een keer een dictee gemaakt en toen was ik een woord vergeten. Maar mevrouw Kgomo had me toch het hoogste cijfer gegeven, ze zei dat ze zeker wist dat ik dat woord wel kende. Dus zo zit het misschien wel. Maar soms krijg ik wel zo'n gevoel, een soort aanraking, alsof ik het warm heb, ik kan het niet goed uitleggen, het is een vreemd soort aanraking, en soms denk ik dat Zulwini dat bedoelt. Maar het verdwijnt heel snel weer, daarom kan ik het niet goed uitleggen.

Als jullie extra hulp kunnen gebruiken, dan vind ik het niet erg om terug te komen. Het is behoorlijk shit hierbeneden en ik maak het alleen maar erger. Volgens mij kan ik daar best nuttig zijn. Ik ben een harde werker. Ik ben sinds de eerste klas al de beste leerling. Ik ben bijna overal goed in. Ik hoef niet eens iets bijzonders te doen, de administratie misschien, of schoonmaken. Het maakt mij niet uit, ik pak alles aan, maar als ik goed ben, kan ik misschien opklimmen naar een niveau waarop beslissingen worden genomen en zo. En als dat niet gebeurt, is het ook goed. En ik beloof dat ik niet in de weg zal lopen.

Ik weet dat U zich zorgen maakt over ma, maar dat komt wel goed. Ze is een taaie hoor, en ze heeft Manzi ook nog. En pa, nou ja, die kent U. Volgens mij zou hij het niet eens merken, en als hij het toch merkt, gaat hij vast bij iemand anders een kind maken.

Ik bedoel alleen dat als U misschien wat gezelschap wilt hebben of zo, dat ik het helemaal niet erg zou vinden. Ook al is het maar een weekend. Eén weekend maar, God, dat zou al prima zijn.

Ik ben altijd verdrietig, God. Ik heb het opgezocht, het heet anhedonia. Dat is geloof ik Grieks. Ik wil dat niet. Ik weet niet waarom ik dat heb, maar ik heb het toch. Ik begrijp niets. Ik kan me niet concentreren. Ik denk steeds veel te veel na. Ik ben eenzaam, maar ik wil niet met de andere kinderen spelen. En ik mis U. Ik mis U, God. Ik wil thuiskomen. Ik wil hier niet meer zijn, ik vind het hier niet leuk meer. Alstublieft, God, alstublieft. Als U mij ook mist, haal me dan terug.'

Hij wachtte, en wachtte, en wachtte en wachtte tot de zon opkwam en hij te laat op school zou komen, en zelfs toen wachtte hij nog, maar God gaf nog steeds geen antwoord.

Er was op school al aangekondigd dat hij zou vertrekken. Er waren e-mails gestuurd. Mohumagadi had er geen gras over laten groeien. Toen pater Bill binnenkwam was er geen stoel voor hem op het podium in de aula, en in zijn lokaal waren de paar dingen die hij in de loop van de afgelopen twee weken had verzameld, in een doos gedaan, inclusief de kapotte dvd's. Er stonden geen tafels en stoelen. Geen brief, geen bericht, geen telefoonnummer om te bellen, maar de boodschap was overduidelijk.

Hij liep de galerij op, links de tuin en rechts de lerarenkamer, overal hing haar geur, en hij glimlachte. Ze hadden elkaar uiteindelijk toch teruggevonden. En toen hij bijna weer vertrok, naar *weg, weg, waar de lijnen recht en de cirkels rond zijn*, kwam er iets door de gang aandenderen.

'Pater Bill! Pater Bill!' Het was Mlilo, hij rende hard. 'Pater Bill! Pater Bill!'

De jongen liep hem bijna omver toen hij tegen hem aan botste en zijn armen om hem heen sloeg, zó krachtig en zó abrupt dat de lucht uit Bills longen werd gedrukt en hij niets kon zeggen. De jongen keek naar hem op, zijn groene ogen naar de blauwe van de man, de groene vol tranen.

'Pater Bill. U ziet er precies zo uit als mijn vader, bijna precies zo, maar u lijkt niet op hem,' snikte Mlilo.

Pater Bill voelde dat de jongen zijn armen nog steviger om hem heen sloeg en zijn hoofd tegen zijn borst drukte. Zijn overhemd werd nat van de tranen.

'Mlilo,' wist hij alleen maar uit te brengen. Maar wat zouden woorden ook kunnen veranderen?

En precies op dat moment kwam Mohumagadi de hoek om. Ze wilde er zeker van zijn dat de man alles uit het lokaal had meegenomen, dat hij niets achterliet wat aan zijn aanwezigheid herinnerde. Toen Mohumagadi hem zag, hen zag, pater Bill en haar Mlilo, begon ze tegen het kind tekeer te gaan.

'Mlilo Graham. Moest jij je vanochtend niet melden op mijn kamer?'

De jongen schrok van haar stem en liet pater Bill los.

'Mlilo Graham, laat pater Bill vertrekken en kom ogenblikkelijk hier.'

Maar Mlilo bleef staan. Mohumagadi zei het nog eens, maar de jongen gaf geen krimp. Ze waarschuwde hem, zei tegen hem dat als ze het nog één keer moest zeggen, dat de druppel zou zijn. Ze had er schoon genoeg van en ze was er klaar mee, dit was zijn laatste waarschuwing. Als hij niet ogenblikkelijk bij haar kwam, kon hij het verder vergeten. Mlilo bleef staan.

Mohumagadi ging door het lint en rende op de jongen af. Mlilo deinsde achteruit en begon ook te rennen. Ze ging tegen hem tekeer. Hij rende. Hij rende zo hard als zijn kleine benen hem konden dragen. Door de gang, langs Nehanda en Nandi, over Plaatjie en onder Shaka, over de Piramiden van Gizeh en door Fez, hij rende maar door, langs Masai Mara, achter de wolk boven de Tafelberg langs, sneller en sneller, hij rende weg, zo hard en zo snel hij kon, weg. Weg van hun woede, hun pijn, hun lijden, weg van hun strijd, hun ontberingen, hun pijnlijke herinneringen. Mohumagadi ging maar tegen hem tekeer en zag dat hij steeds harder rende en steeds verder kwam. Ze zag hem over het hek klimmen, heel snel, heel behendig. Hij rende hard, veel te hard, veel te ver. Ze keek naar hem. Iedereen keek naar hem. Dat kwam door al dat lawaai. De weg op, die grote weg, die waar de grote vrachtwagens met hun reusachtige wielen over kwamen aanrollen. Hij rende naar het midden van de weg en daar kwam een vrachtwagen. Natuurlijk, er reed altijd wel een vrachtwagen over die weg. Ze riep zijn naam, maar nu klonk dat anders.

'Stop, wereld, toe, sta stil.' Maar de wereld had in al die jaren nog nooit op die roep gereageerd. Niet van koningen aan het hoofd van hun rijk die moeten toezien terwijl hun huizen in brand werden gestoken, niet van de leiders van landen die 's ochtends in de krant moeten lezen dat er een einde aan hun loopbaan is gekomen, zelfs niet van een achttienjarige aanstaande moeder die voor haar ogen de twee streepjes van een geslachtsziekte ziet verschijnen. De wereld staat nooit stil. Toen ze die woorden riep, en pater Bill de weg op zag rennen, en de auto's om hen heen zag stoppen, en zag dat meneer Booi de kinderen de school in stuurde, achter het hek, wist ze al dat ze het hadden gezien, en ja, ze waren oud genoeg om het zich voor altijd te blijven herinneren, dat de vrachtwagen en de auto's te laat waren gestopt, dat pater Bill een lijk in zijn armen droeg, dat de wereld niet wilde en niet kon stilstaan.

En alsof haar hoofd had besloten dat zij ook niet kon stilstaan, niet kon wachten tot haar hart zou verkrampen en haar ogen zouden overstromen en haar maag zich zou omkeren, kwamen er conclusies en besluiten in haar op. Ze zou deze school verlaten. Ze zou ver weg gaan. Ze had de kinderen in de steek gelaten, ze had hen gevoed met de bittere melk uit haar verlepte borsten. Vooral Mlilo had ze in de steek gelaten, ze had hem vernietigd, hem een toekomst in dit land ontzegd. Ze had deze kinderen opgezadeld met een slechte emotie die niet in hun kinderhoofd thuishoorde. Dus zou ze vertrekken. Maar eerst zou ze haar handen in die van de blanke man leggen en hem vragen om voor haar te bidden. Ze stelde zich voor dat ze zacht zouden zijn, en hoewel ze wist dat ze zijn woorden niet zou geloven, niet kón geloven, was het toch een goed begin.

'We zijn hier vanavond bijeen...'

Ze waren er allemaal, die avond, alle kinderen, alle leraren, alle ouders, zelfs mevrouw Mntambo, die na donker nooit uit huis kwam; iedereen was er, behalve Mlilo.

'We zijn hier vanavond bijeen om het leven van Mlilo Graham te gedenken.'

Het was de bedoeling dat pater Bill zou spreken, maar toen hij de woorden 'dood van een kind' had gegoogeld ter voorbereiding op zijn preek, wilde zijn muis niet klikken en de internetpagina's wilden niet openen en zijn vingers gleden van de toetsen door de zoute tranen, totdat miss L. de stekker uit het stopcontact trok. Toen werd bedacht dat in plaats van hem de bisschop zou spreken.

Dat hij een woord van bemoediging en troost zou spreken, omdat pater Bill dat niet kon. Alleen een stukje uit de Bijbel lezen, dat redde hij nog wel. Zijn lievelingstekst, zei hij, en een tekst die Mlilo vast ook goed gevonden zou hebben.

We worden van alle kanten belaagd,
maar raken niet in het nauw.
We worden aan het twijfelen gebracht,
maar raken niet vertwijfeld.
We worden vervolgd,
maar worden niet in de steek gelaten.
We worden geveld,
maar gaan niet te gronde.
(2 Korintiërs 4:8-9)

En alsof de vogel van het besef tegelijk op alle kinderen neerdaalde, lichtten hun ogen op, want ze kenden die woorden goed, elk woord kenden ze: het waren de woorden van hun schoollied! Maar hoe kon het dat ze ook in de Bijbel van de blanke man stonden? Wat vreemd, wat merkwaardig, wat griezelig wonderlijk dat ze ook in die Bijbel stonden! En terwijl ze samen het schoollied zongen, begon Mohumagadi te huilen toen hun stemmen weerklonken tegen de muren van de aula, die kinderstemmen, de stemmen van een zaal vol jonge mensen die voorbestemd waren om het continent te veranderen, om de geschiedenis te veranderen, om de wereld te veranderen, beseften ze dat wel? En daar stond pater

Bill, blij dat hij eindelijk de woorden van het schoollied moeiteloos kon meezingen, maar kende hij ook het geheim dat de kinderen in de zaal deelden? Nu de woorden waar hij zo lang mee had geworsteld precies die woorden waren die in zijn ziel gegrift stonden? Dat zullen we nooit weten, want voordat iemand hem op dat fantastische toeval kon wijzen, stond Mohumagadi op en pakte zijn hand. Nog nooit was ze tijdens de dagopening opgestaan, en al helemaal niet om iemands hand vast te pakken, de hand van een blanke man nog wel, maar zelfs Mohumagadi wist dat we op een bepaald moment moeten stoppen met haten.

Ik bedank Ntate Nape 'a Motana voor het samenstellen van zijn bundel met Sepedi spreekwoorden, waar de hele wereld nu kennis van kan nemen en van kan genieten. Het was heerlijk om met die bundel te kunnen werken bij het schrijven van Gedane Zaken. Re a go leboga. *Ik bedank mijn familie en vrienden nogmaals voor alle steun, en u, lezer, voor de aanmoediging. Op* Gedane Zaken*!*

De spreekwoorden zijn afkomstig uit Sepedi Proverbs *van Ntate Nape 'a Motana, Kwela Books 2004.*